FILE.40-01

●文=ケロッピー前田

天明屋尚

TENMYOUYA HISASHI

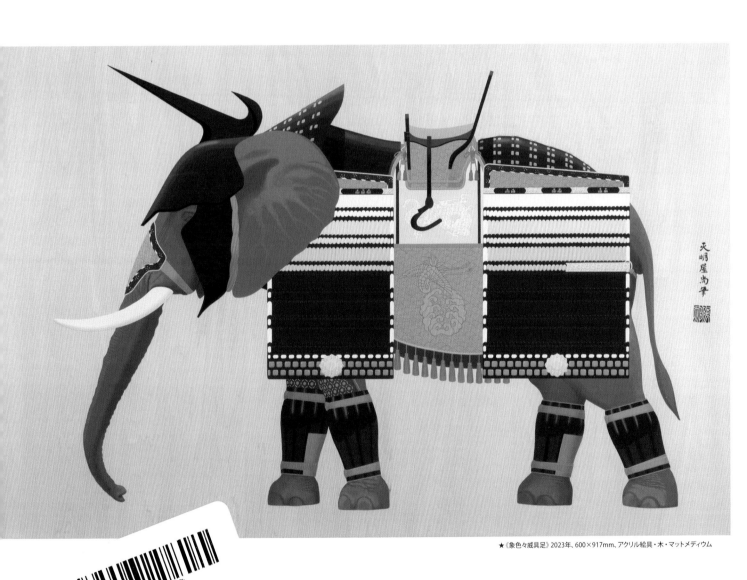

★《象色々威具足》2023年、600×917mm、アクリル絵具・木・マットメディウム

反骨精神を貫き

絵で闘う武闘派

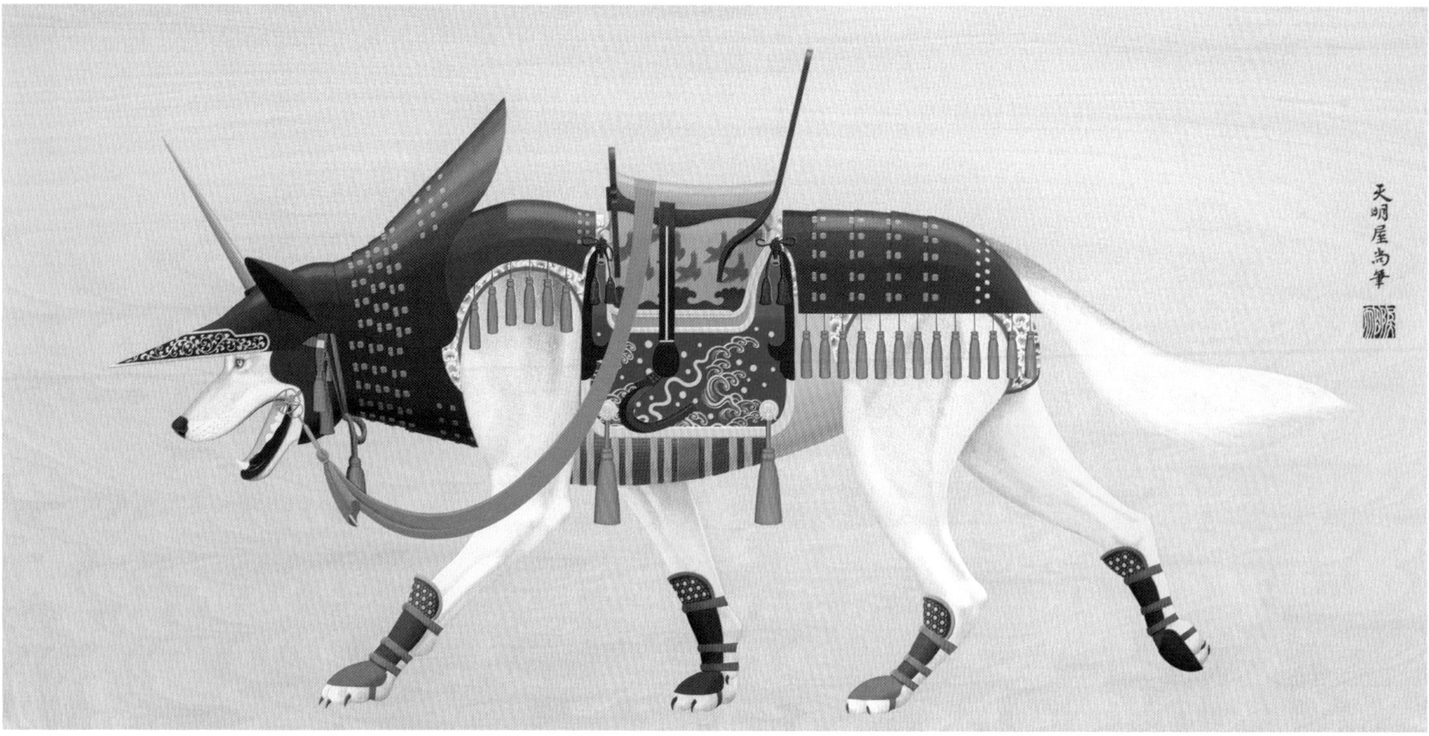

★《狼茶塗一角形兜》2023年、450×910mm アクリル絵具・木・マットメディウム

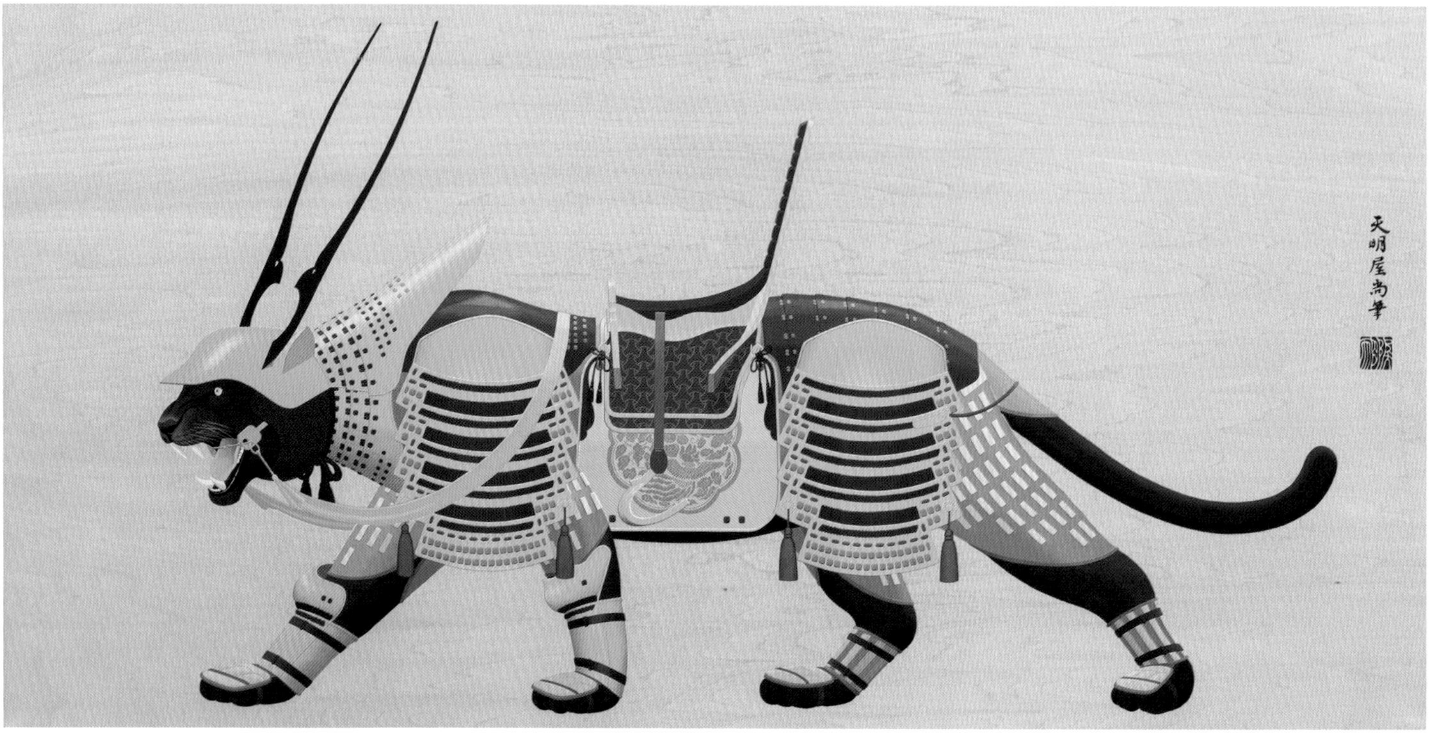

★《黒豹金陀美具足》2023年、450×910mm アクリル絵具・木・マットメディウム

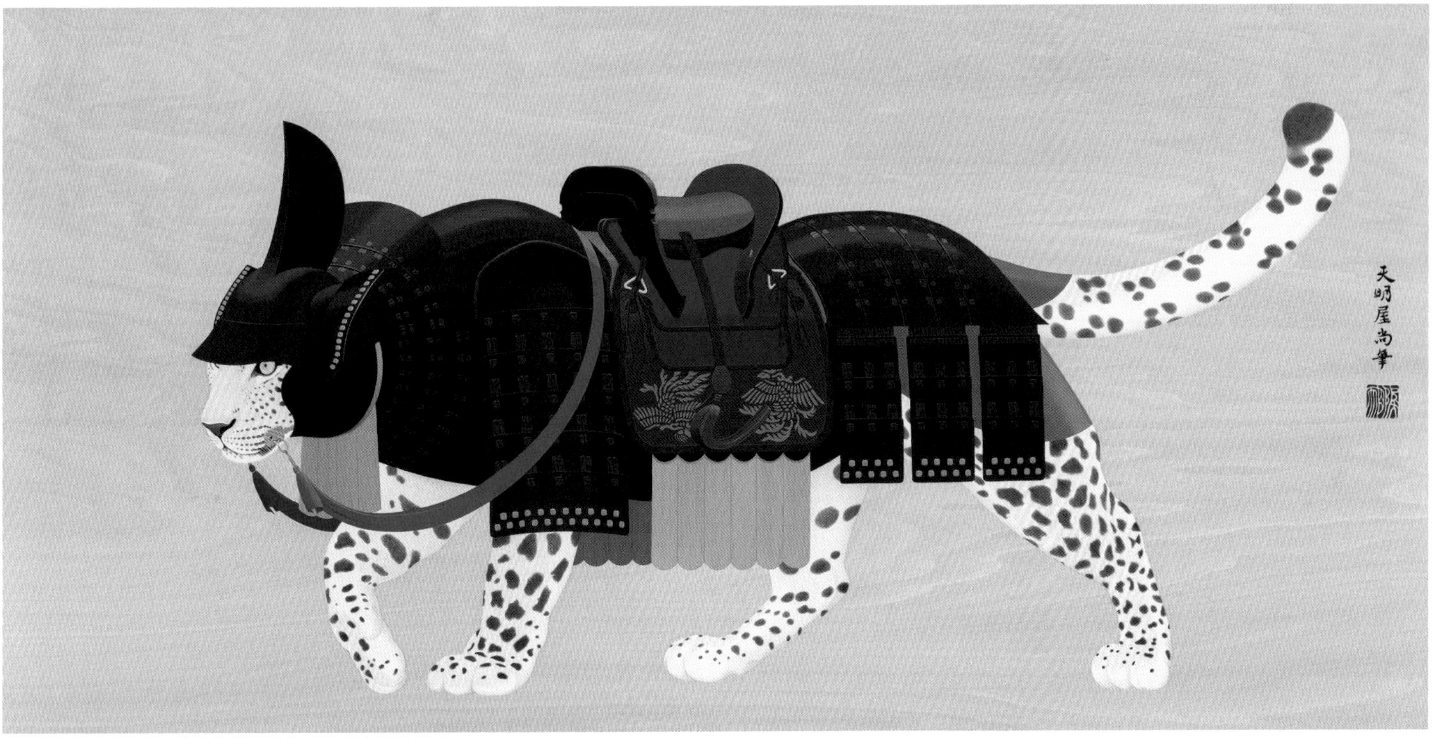

★《豹黒漆塗刃形兜》2023年、450×910mm アクリル絵具・木・マットメディウム

★《R.U.R. 一号機》2023年、450×910mm アクリル絵具・木・マットメディウム

★《宇宙圖［壱］三幅対》2023年、
「宇宙」中央 1300×900mm（画面サイズ）1920×1110mm（掛軸サイズ）、竹和紙・顔料・掛軸

★《宇宙圖［壱］三幅対》2023年、
「銀河」1300×480mm（画面サイズ）1920×670mm（掛軸サイズ）、竹和紙・顔料・掛軸

★個展「メタ日本画」展示風景（高島屋新宿店）／写真：ケロッピー前田

ネオ日本画からメタへ。CGや伝統技法も取り入れ新しいものを超える

★《闘神圖［壱］三幅対》2023年、
「霞」左 1575×587mm（画面サイズ）2055×790mm（掛軸サイズ）、
「地」中央 1575×900mm（画面サイズ）2055×1110mm（掛軸サイズ）、
「活」右 1575×587mm（画面サイズ）2055×790mm（掛軸サイズ）、
竹和紙・金箔・顔料・掛軸

『ネオ日本画』や『BASARA』で一世を風靡した天明屋尚が、新たなコンセプト『メタ日本画』を掲げて、大阪と東京の高島屋で、百貨店での初個展を開催した。独学で日本画を学んだ彼は、あらゆる流派や権威と闘い、それまで岩絵具や墨で描かれていた日本画にアクリル絵具を持ち込み、戦闘機やロボット、刺青などをモチーフにすることで、常に新しい時代を開いてきた。2010年には自身が提唱する華美で破格な日本の美を『BASARA』展として披露し、同名のバイリンガル本も出版、国際的な舞台で活躍している。彼はもともと2000年に雑誌『BURST』で大々的に紹介されたことで広く知られるようになり、松本人志監督作品『大日本人』(2007)では松本自身が演ずる主人公の刺青デザインを手掛けるなど、常に話題を振りまいてきた。そして、パンデミックを経て、次の時代へと世界が動き出しているいま、天明屋は次なる第2章へと邁進しているのだ。

「今回のテーマは、メタ日本画。所属していたギャラリーからも独立し、いままでの画業を振り返って、次なる第2章の始まりです」

そう、天明屋はリラックスした雰囲気で話し始めた。

「もうひとつの大きな挑戦は百貨店での個展ということです。もともと百貨店といえば、いわゆる画壇系のステロタイプな日本画や洋画を扱う、古いイメージでした。BASARA的には真逆の存在と思っていましたが、ここ10年くらいで現代美術の作品も扱うようになっています。声をかけていただいたので、今回初めてやってみることにしました」

実際、時代を遡ってみれば、1909年に高島屋が百貨店として美術作品を扱うようになったとき、日本にはまだギャラリーどころか美術館もなく、唯一、大蔵所古館のみが美術品を展示鑑賞できる場所だったという。歴史的には、百貨店が日本の美術を牽引していた時代もあったのだ。そういう視点から百貨店を再評価しようという姿勢も彼ならではだろう。

「メタ日本画についても説明しましょう。僕はもともとネオ日本画というコンセプトを提唱してきたけど、ネオが新しいとするなら、メタは神の視点、超越といった意味です。だから、新しいものを超えるものなんです。たとえば、日本画が岩絵具や墨で描いたものであるとするなら、その定義は画材に限定されています。僕が描くネオ日本画は、アクリル絵具を使っています。そして、メタ日本画はさらに写真やコンピュータグラフィックスなどを取り入れて、インクジェットプリンターで出力しています。もはやほとんど描いていないとも言えます」

巨大な掛け軸に設えた作品群を見ると、どうやって描いたのだろうかと思案してしまう。だが、それらが最新のテクノロジーの成果であると説明されれば納得できる。誰もが描いていると錯覚させるところもコンセプトとして、狙っているところだという。だが、随所のディテールが鑑賞者を唸らせる。

「たとえば、人物の背景にある光輪は、截《きり》金《かね》という金箔を用いた日本の仏教美術の伝統技法を用いていて、ちゃんと専門の職人さんに仕上げてもらっています」

最近は人工知能の進歩が凄まじく、ChatGPTなどの画像生成でかなりのことができてしまう。天明屋はCGに手書きを加えるなど、人間と人工知能の融合を目指していきたいという。新しいテクノロジーをどんどん使っていくというのが「メタ日本画」の肝なのだ。

「2010年に、従来の日本の美術史に対して華美で破格なBASARAを宣言したときも、ずっと時代と闘ってきました。今回、ネオがメタになったのも時代が変わってきていることへの問題提起なんです。令和はクリーンじゃなきゃいけない時代、それに対してBASARAは漂白の真逆で血肉なんです。ヤンチャな部分が漂白されちゃうと面白くなくなっちゃうんですよ」

反骨精神を貫くがゆえに、絵で闘う武闘派の主戦場はますます拡大を続けているとも言える。

「BASARAとは、内面の反骨精神と外部の過剰な装飾の二面性があります。その言葉は室町時代の婆娑羅にあり、のちに傾奇者があって、それらをローマ字のBASARAにしました。そこにはカスタマイズする文化も含まれています。2014年頃から人物はただの裸で刺青は描かなくなりました。その理由は、人物がまたがる動物に甲冑を着せることで、それがBASARAの表現になっているからです。刺青画家と呼ばれたときもありますが、刺青を描かなくなったのはそういう理由なんです」

そんな天明屋は今年はさらに2つの興味深い展示の準備を進めているという。

「ギャラリーMUMONに、世良郎二という、フィギュアを真っ黒に塗ってカスタマイズする作家がいるんですけど、実は僕なんです。7年間黙っていて、誰も気がつかなかったので、そろそろ正体をバラそうかなと。徳川家康の影武者で世良田二郎三郎元信という人がいて、それをもじっている部分と、マルセル・デュシャンのローズ・セラヴィのアナグラムでもあります。そのダブル仮面アート展をやろうかなと。さらに12月には、すごく小さな作品展をやろうと考えています。たとえば、10センチくらいの」

天明屋の反骨精神は留まるところを知らない。常に世の中のカウンターであり続けることに表現の可能性を見出して、絵で闘い続ける武闘派は、最新テクノロジーや人工知能とも手を組んで硬直化した日本画や美術界を融解し続けている。次なるBASARA的な作品はどんな形で登場してくることになるのか期待したい。

(ケロッピー前田)

◉天明屋尚（てんみょうや ひさし）
1966年東京都生まれ。レコード会社のアートディレクターなどを経て、現代美術家として活動。日本伝統絵画を現代に転生させる独自の絵画表現を「ネオ日本画」、華美（過美）で覇格（破格）な美の系譜を「BASARA」と宣言。2003年第6回岡本太郎記念現代芸術大賞展 優秀賞受賞。2006年サッカーW杯ドイツ大会FIFAワールドカップ公式アートポスターに日本代表作家として参加。2010年国際美術展「第17回シドニー・ビエンナーレ」（オーストラリア）に参加し、その後も国際展に多数参加。2010年にBASARA展開催、初の主催・企画・キュレーション、現在はGallery MUMONのアドバイザーも務める。

※天明屋尚 個展「メタ日本画」は、2023年11月29日〜12月11日に高島屋大阪店ギャラリーNEXTにて、2024年1月17日〜29日に高島屋新宿店10階美術画廊にて開催された。

◉文＝志賀 信夫

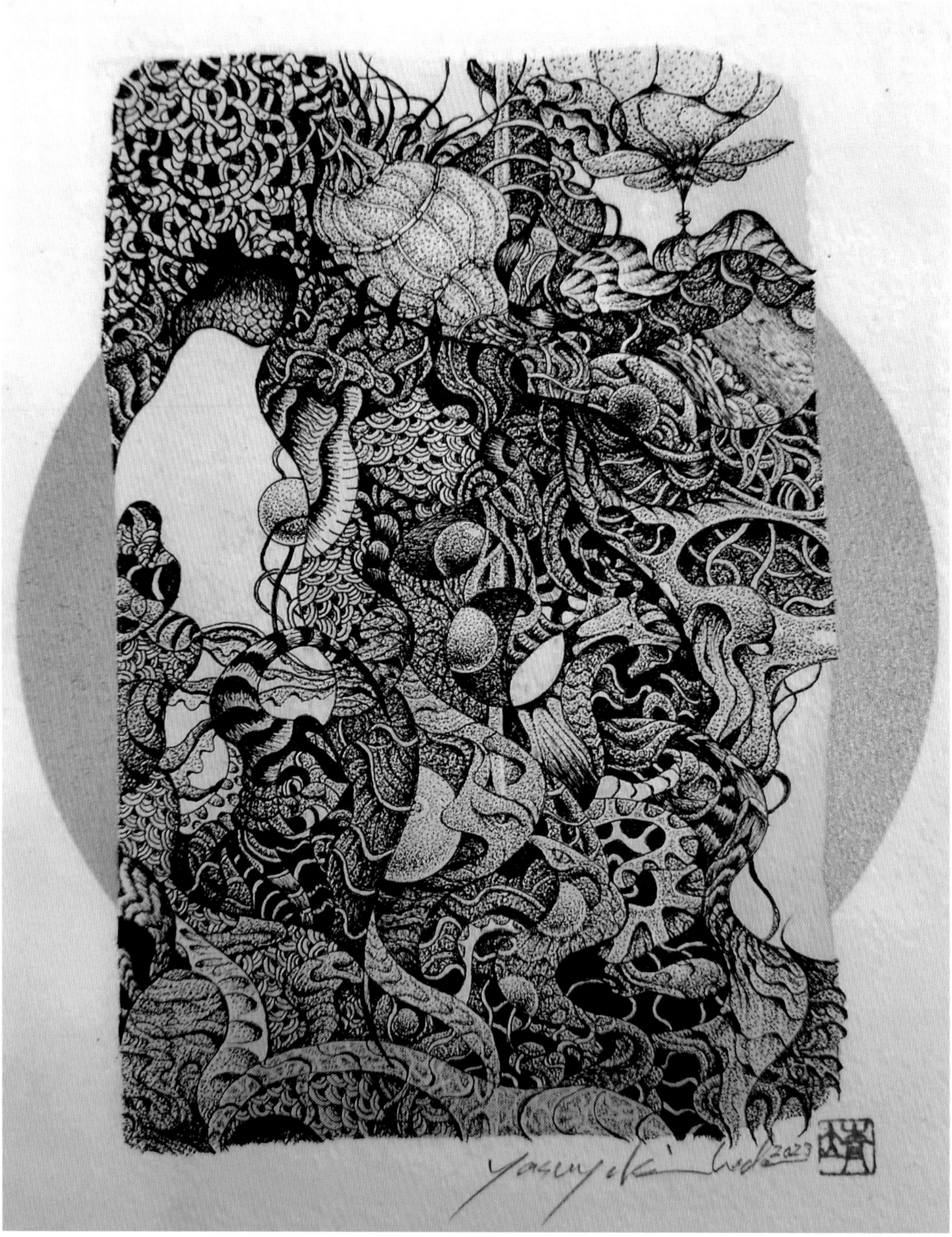
★《Forest of RADEN-stay dragon-》
2023年、240×180mm、油性ペン・金粉

上田靖之

UEDA YASUYUKI

★《Forest of RADEN-with roses-》2023年、380×280mm、アクリル

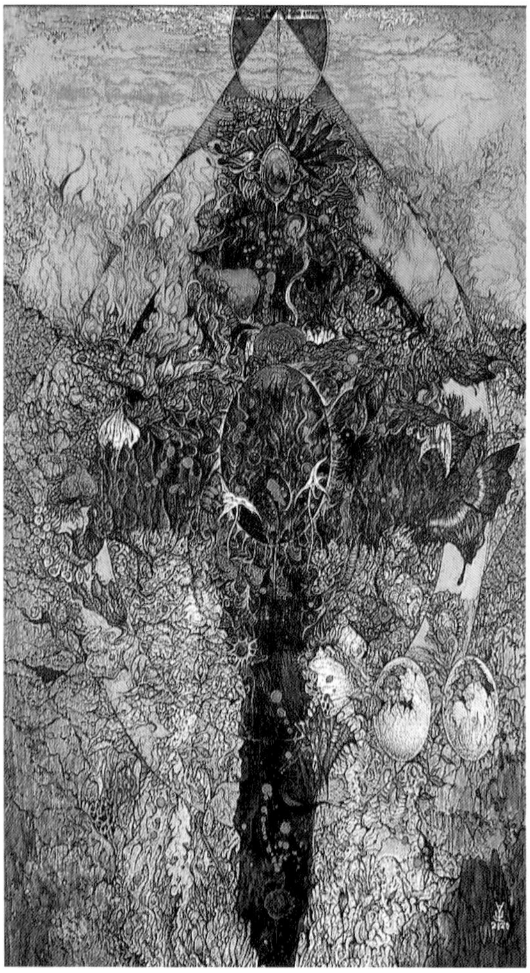

★《Forest of RADEN-stay butterflyVII-》2020年、360×230mm、アクリル

★《Weathering story-IV-》2021年、250mm円形、蜜蝋・インク・和紙

★《Forest of RADEN-II-》1997年、1100×800mm、アクリル

★《Forest of RADEN-VIII-》2018年、290×185mm(楕円形)、アクリル

★《Forest of RADEN -II-》2021年、1200×1500mm、mixedmedia

★《Forest of RADEN-stay butterfly III-》2020年、300×200mm、アクリル・螺鈿

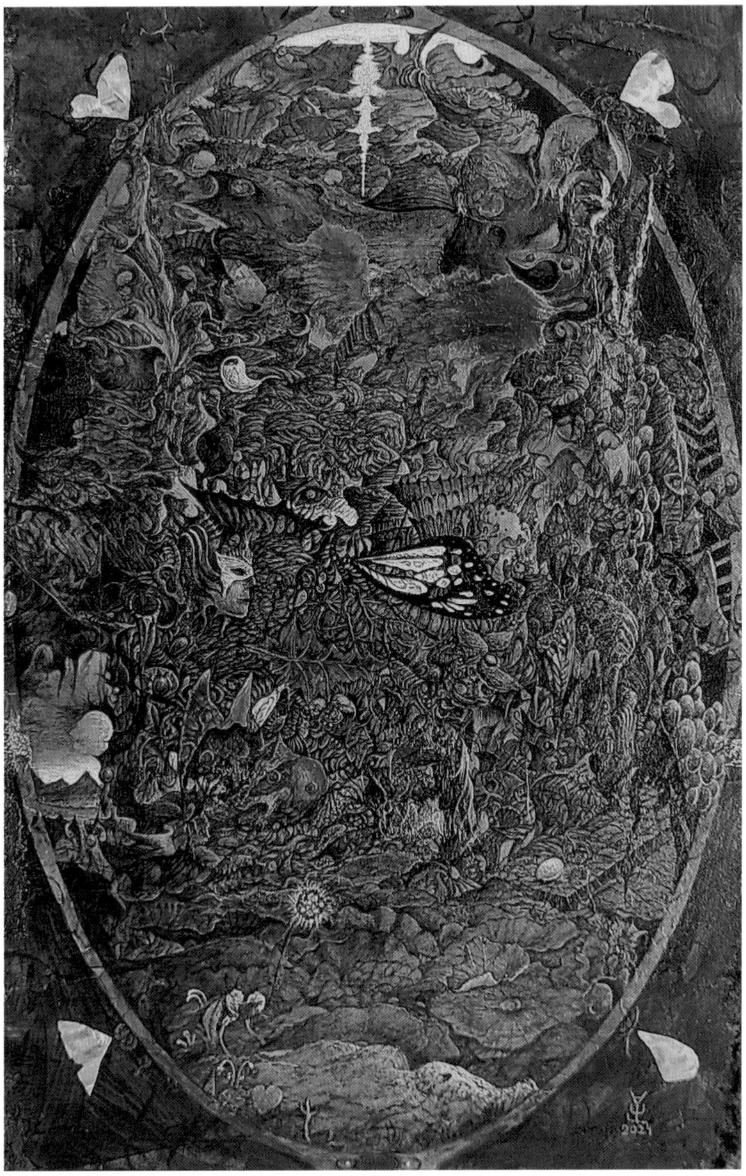

色、形、構図を追究し
表現の可能性を探る

★《Forest of RADEN -stay butterfly VI-》2020年、230×160mm、アクリル

画面と意識的に対話しながら飛沫すら描きたい

最果ての島から

一見、抽象とも幻想的な風景とも見える上田靖之の作品。近寄ってみると、実に細密に描かれていることがわかる。通常の幻想的な絵画には具体的な形象が浮かび上がるが、上田の作品はそうではない。というか、ぱっと見ると、何を描いているかわからないのだが、引き込まれる。そしてその細密さも、気になるところだ。この作品はどのように生まれたのだろうか。

上田は一九五六（昭和三一）年、日本最北に位置する島、北海道の利尻島に産まれた。中学を卒業するまで親元で暮らしたが、「人生は旅である」と卒業文集に書き残して、越境受験をし、小樽で高校の三年間を過ごした。中学までは理系、体育系、生徒会で活躍し、百年続いた男子丸坊主の伝統を、長髪運動を起こして変えるなど、本能だけで突っ走っていた。だが、単身乗り込んだ都会・小樽では、一変して、カルチャーショックとコンプレックスと思春期の入り交ざったような状況に陥り、文庫本の存在すら知らなかった上田は、遅れてきた少年のように、まずは三島由紀夫の『仮面の告白』から読み漁った。

部活動も文系になり、ブラスバンド部、そして美術部に移り、そのことがその後の人生を大きく変えた。かなり体育系の美術部で、早朝デッサン、合宿、全道学生展出品など、ハードなスケジュールで鍛えられた。当然ながら受験は美術大学と早々に決めたが失敗し、札幌で浪人生活をスタートさせた。だが、すぐに東京での浪人を決めて上京していたライバルの他校学生と札幌で会い、その変化に刺激されて、利尻島の親に電話一本を入れて、上京を決意した。それから四年間の予備校時代は、現在の根幹をつくる充実の時代だったという。

版画をきわめる

その結果、上田は、五年浪人して東京造形大学に入学したため、四回生よりも年上という美大あるあるだったが、ぬるい講評会になじめずボイ

★《Forest of RADEN-life II-》2022年、310×390mm、油性ペン

コットし、カリキュラムにもろくに従わず、予備校時代の作品をいいかげんに提出したりしていた。三回生のコース選択で、当時は具象、非具象、版画に分かれていたが、すべてのコースを見て回り、クラスで最後に版画コースを選択した。その理由は、五年の浪人生活で学べなかった版画の世界を、学生としてゼロから身につけたい、勉強したいと思ったからだ。

また、版画の教師に学食で、「大学とは滑走路のようなもので、ヘリコプターからジャンボジェット機までさまざまな飛行機が飛び交う、それが大学である」と聞いた。つまり、学生時代から世に出る者もあれば、長く時間のかかるものもいるということだ。すぐ飛べるが遠くまで飛べないヘリコプターよりも、長い滑走路が必要だが遠くまで飛べるジャンボ機でありたいと、長く浪人した上田は強く思ったのだという。

その大学教師のもとで四年の木版画専攻まで学び、二十七歳で卒業してから五十歳になるまで、木版画家として活動を続けた。

版画から絵画へ「原点回帰」

だが、さまざまな人や仕事との出会いのなかで、制作に対する意識の変化とともに、徐々にスピード感の歪みのような感覚がつのり、五十代になって、「版下を作る」から「絵を描く」へ、上京を決意したときの思いへ、いわば原点回帰をして出直そうと、彫刻刀を筆に持ち替え、版画と距離を持つことにした。それは版画をやめるのではなく、距離を持って見直すことであり、いまそれは、制作（イメージ）するときの「振れ幅」としてとらえているという。それはつまり、版画制作に邁進することで追われている感を感じたため、絵画に挑戦することで、本来行いたかった表現を追求したいということだろう。

その原点回帰として「描く」ことは、シンプルに教科書やノートの隅にこっそり描くような「いたずら書き」から始めた。だがここで、上田は四つの縛りを自分に課した。鉛筆を使うときは消しゴムを使わない、ペンは世界一細い油性ペン（○・

★《Forest of RADEN-sea dream-》2015年、550×650mm、油性ペン

★《Forest of RADEN-dream-》2010年、450×800mm、油性ペン・アクリル

★《螺鈿の杜-II-》2017年、630×520mm、アクリル

〇三ミリ）を使う、筆は面相筆だけで描く、そして、下書きをしないことだった。この四つの縛りのなかで描くことで、前に進むしかない緊張感を作り、集中力と持続力と画面の声を聴く力をつけようと、ルーチンのように描き続けた。その結果、電車の中で立ちながら、〇・〇三ミリの油性ペンでぶれることなく描けるようになったという。

また、絵画と版画の違いについてたずねてみると、上田は、次のように答えた。すなわち、一般的な認識としては、絵画の直接的な描画と、「版」を通した間接技法である版画というふうに分けられてきた。だが、パソコンの出現以来、デジタル化の進化とともに、絵画と版画という単純なカテゴライズで割り切ることのできない表現世界が広がりを見せている。デュシャン以来とされる「現代美術」は、いまだネオ（新たな現代美術）の出現で閉じる気配のなさに、作家として漠然とした不安を抱えている。だが、従来からの伝統の流れのなかで、半歩、一歩を作品として残すしかないと思っている。そのうえで、間接でも直接でも、つまり版画でも絵画でも、表現しようとする世界観がおおもとになければ意味を成さないと考える、という。

アルミ箔や蜜蝋を使った版画

上田は、「アルミ箔版画」を教えている。それは、厚紙の上に、厚さ一ミリ以下のさまざまな素材を貼り付け、その上をしわ状にしたアルミ箔で覆い、プレス機を通して密着させることで版が完成する、コラグラフ（版画によるコラージュ）の一つといえるものだ。銅版画の工程と同じように、紙に刷り取るが、初心者には、版画の原理を知るうえでも、また、抽象画の入口としても有効であると考えているそうだ。彼は、蜜蝋を使った版画や、このアルミホイル製版法を版画家のワークショップで体験し、モノタイプかつミクストメディアととらえて、美術館などの講座で紹介している。

また蜜蝋を使った版画については、次のように述べる。蜜蝋という素材そのものは、ミツバチの巣を構成する蝋を精製したもので、古くから人間社会で利用されてきたが、画材としてみた場合、素晴らしくフレシキブルであり、長所でもある熱に弱いことをのぞいて、実に安定した画材といえ、盛り上げ材や絵肌作りに使用している。だが、長く木版コラグラフを制作してきたこともあり、蜜蝋は、和紙に染み込ませながら絵肌をつくることが、最もしっくりきているという。

画面の中からの声に耳を澄ます

最初に述べたように、上田の作品を見ると、幻想的という言葉が浮かぶ。だが上田は、幻想的という言葉が作品に当てはまるかどうかはわからないが、確かなことは、画面の中からの声に耳を澄まし、立ち現れるイメージを追い求めながら、導かれるようにひたすら描き進めているという。画面の完成は、描きはじめから筆を置くまで、いつそのときが訪れるのかわからず、敢えて決めないようにして、描き切ったと判断するときまで続く。それが結果として、幻想的な独自性を持った画面になるということだ。例えば、面相筆だけで描いている五〇号の作品は一七年かかり、いまだに気になるところを加筆しているそうだ。

そして、エロティシズムについては、上田は、絵画で試みたことは、ほとんど皆無だそうだ。元妻にも「あなたの作品にはエロを感じない」とズバリいわれたという。エロティシズムは、避けては通れない要素ではあると感じているが、特に版画家時代は、点、線、面の構成要素、色、形、構図という三大要素を考え、版表現の可能性などを解き明かしたい想いでパンパンだった。そして、絵画表現を中心に制作している現在でも、その思いはそれほど変わっていないそうだ。

描く意識

上田は学生時代、特に予備校時代は、当時の先生の影響もあり、イタリア・ルネサンス時代からフランスを核としたヨーロッパ全域を視野にしていた。だが、お金がなかったので、画集も安いファブリで我慢し、バイト代が入ると神田の古本屋街で掘り出し物を漁っていた。フラ・アンジェリ

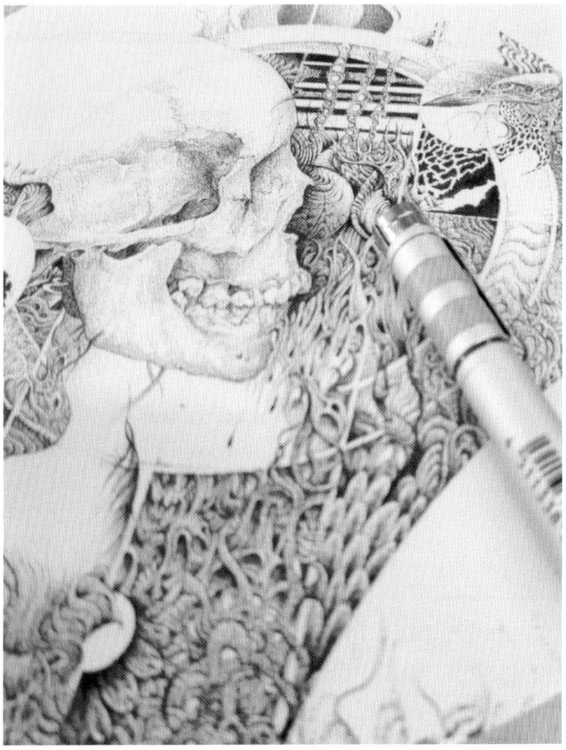

★《Forest of RADEN-stay skull-》2022年（制作中）、270×240mm、油性ペン

★《landscape XXX-C-》2016年、250×130mm、Mixedmedia/蜜蝋・墨・和紙

コやシモーネ・マルティーニ、ピエロ・デラ・フランチェスコなどに憧憬を持って見入っていた。その後、四十代以降、作家活動の年代に入ると、よりリアルな影響を受けた作家は、マックス・エルンストやエルンスト・フックス、ルドルフ・ハウズナーなどだという。

また、美術家以外で真っ先に頭に浮かぶ名前は、三島由紀夫、寺山修司、音楽家では武満徹、マイルス・デイヴィス、エド・シーラン、バクチクの櫻井敦司など。さらに冒険家の植村直己つながりの大場満郎。大場満郎（一九五三年〜）は、北極と南極の両極を徒歩で単独横断を達成した冒険家である。

上田の作品の幻想的な描写は、デカルコマニーやフロッタージュなど、シュルレアリスムの技法で生まれているように見える。だが、そうではない。これらの技法は、一種の偶然性による要素があるが、上田はその偶然性は否定したいという。「描く」という意識を徹底して、ペンや筆を走らせる。それはある種、職人的な作業ともいえる。そうやって描いていくうちに生まれてくる画面と対話しながら、描き進めていくのだ。また、例えばアクションペインティングなどでの筆の勢いで生まれるような「飛沫すら描きたい」と上田は語った。それを知って改めて彼の作品のディテールを見直してみると、さらに新たなイメージが広がるように思える。

八十八回目の個展に向けて

上田はまた、これまで、ポーランドなど海外との交流、海外での展覧会もかなり行っている。彼は、国際版画交流協会のメンバー時代に、ポーランドから浮世絵の研究で日本を訪れた学芸員と友人を通じて知り合うこととなり、上田のアトリエで木版画の体験をしてもらった。それがきっかけとなって、版画家同士の国際交流の企画で、パルテノン多摩の開館十周年の記念事業として「ポーランド日本国際版画交流展」が開催された。その後、お返しのように、ポーランドの映画監督のアンジェイ・ワイダが受賞した京都賞の賞金を基金として、磯崎新の設計でポーランドに建てられた「日本・美術・技術センター（通称マンガセンター）」での国際交流展に参加した。それは、世界三大版画コンクールのクラクフ版画ビエンナーレの会期に合わせた特別展示、ポーランド作家五〇名、日本作家五〇名によるもので、上田を含む四名が現地に行って歓待された。そのほかにも日本や海外各地で上田は展覧会に参加、個展も数多く行ってきた。

上田は、今後はまず、二〇二五年四月、国立にある宇フォーラム美術館で開催予定の第八十八回目の個展に、すべてのフォーカスを合わせるという。個展という山の上から見える風景から新たなるスタートを切ると、心に決めているそうだ。そして、はっきり見える「いま」から眼をそむけず、逃げずに、まだ見ぬ風景を現実に引き寄せるためのパワーアップを図りたいと結んだ。（志賀信夫）

◉文＝志賀 信夫

★《Renatus》2020年、700×350mm、楮紙・古紙・墨・岩絵具・インク・箔・金泥・蜜蝋

版表現が内包する
可能性は無限だ

吉田 潤

YOSHIDA
JUN

★《幽けし銀灰》2018年、1620×1940mm　楮紙・雁皮紙・古紙・墨・岩絵具・インク・箔・金泥・蜜蝋

★《月兎》2016年、333×242mm、楮紙・古紙・墨・岩絵具・インク・箔・柿渋

★《春雷》2018年、300×300mm、楮紙・インク・箔

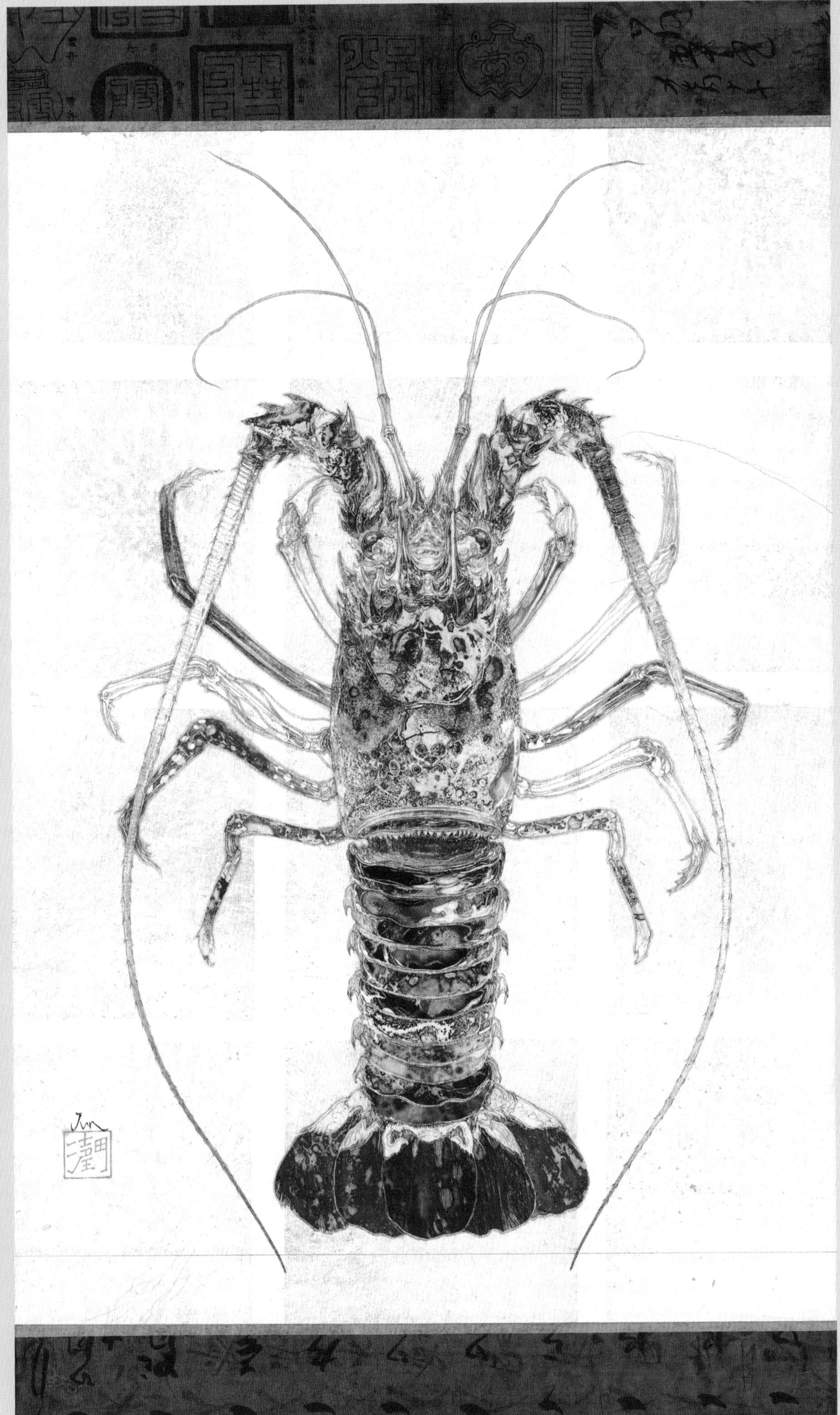

★《海老鯛》2022年、700×350mm、楮紙・古紙・墨・岩絵具・インク・箔・金泥・柿渋

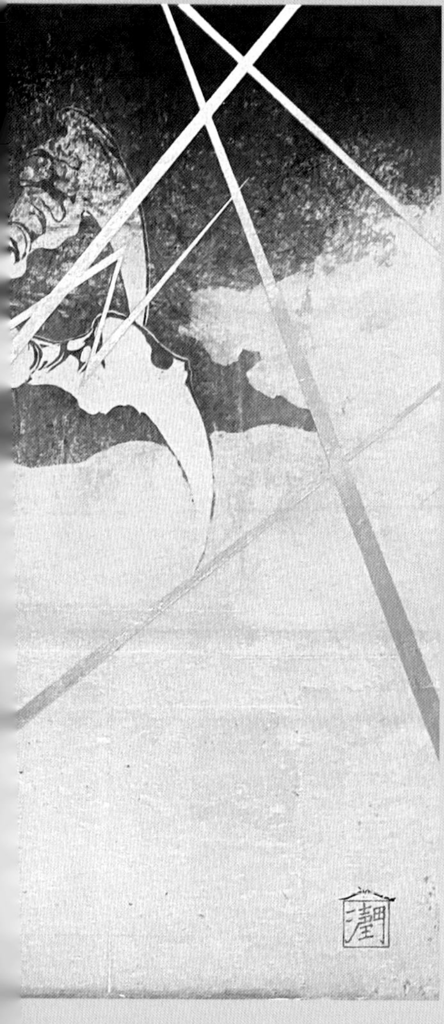

★《Pictorial offering》(部分) 2020年、700×350mm、楮紙・雁皮紙・古紙・墨・岩絵具・インク・箔・金泥・蜜蝋

版画のプロセスやルールから抜け出し 日本画との統合を試みる

苦手だと感じていた版画の世界へ

吉田潤の作品を見たときに、木版画のようでありながらも、細かく描いた日本画だと思った。それは、サイズなどが一般的な版画とは異なるからだ。特に、一メートルを超える作品などは、版画のイメージを超えている。尋ねると、版画を元にして、筆で描いたり貼り合わせたりなど、さまざまな技法をつかっているという。木版画をベースにしていることもユニークで、貼り合わせなどの痕跡を残しながら制作しているところも、未完成を感じさせる魅力があった。この独特の技法と作品は、どのように生まれたのか。

吉田は、小さい頃から絵を描くことや物を作ることが好きで、制作した作品に対して周囲からも評価が高く、自分でも得意分野として認識していた。小学一年の美術の時間に、校内の花壇に咲いている向日葵を四つ切り画用紙に水彩で描く授業があった。同級生が生き生きとした向日葵を描くなか、吉田は少し枯れかかった向日葵が気に入りモチーフとした。枯れかかった葉や花びらは色味が複雑で、彼の眼にはとても綺麗に映ったという。それがより生命を感じさせた。そして、画面中央に大きく枯れかかった葉を描き満足していたが、作品を見た担任の先生は、紙の裏に新しく描き直すようにいった。吉田は裏面に枯れていない普通の向日葵を描いたが、最終的にはよくならず、枯れかかった向日葵の作品を提出した。現在でも、不完全な美、欠落している美しさに興味がある。

吉田は、東京藝大では、日本画を学んだ。彼は、高校では部活を早く引退し、高校二年の後半から美術予備校に通った。三年に進学した際に希望する「専攻」を決めるが、何をやるにせよデッサン力が必要だと思い、写実力が問われる入学試験がある「日本画」を選んだ。東京藝大の日本画専攻に合格することで、モノを観る眼や、表現力を養ったという自信に結びつけたかった。なので、日本画作家になりたかったわけでもなく、憧れの日本画家がいたわけでもなく、近現代の日本画家も特に知らず、大学に入ってから恥ずかしい思いをしたという。だが当然、写実力だけで作品ができるほど甘くはなく、大学合格はその世界の入口にすら着いていなかったと痛感したそうだ。

吉田はその後、版画を始め、大学院でも版画を専修した。それは、どうしてだろうか。彼は、大学三年のときに、二週間だけ木版画授業を受講する機会があり、そこで初めて、伝統的な水性多色木版画のプロセスや技法と出合った。小中学校では、木版画は唯一苦手だと思っていたので、再度チャレンジのつもりで挑んだが、やはり自分の思うようにはできず、版ズレやケツ落ちなど、そのときは、やはり自分には向いていないと思った。ちなみにケツ落ちとは、図柄以外の絵の具がついてしまうことだ。

彼は、四年の前期までは、日本画の大学院に進学するつもりだったが、このまま何も考えず日本画に進むのはどうなのかと思った。天邪鬼な性格もあり、作家になるのであれば人とは違う武器が必要だと考え、思いつきのような感じで版画を志望した。苦手な領域に何かヒントがあるのか、何か足りない部分を強化したら、新しい可能性が見えてくるかもしれないという願望のようなものがあったという。

版画と日本画を統合

吉田によれば、日本画と版画では、和紙、膠、墨、顔料など素材については共通点が多くあり、大学院から版画に進んでも、そこまで違和感はなかった。しかし、歴史やプロセス、ルールという点においては、まったく異なる。印刷技術として発展を遂げた版画の特徴として、複数性がある。摺られたすべてがコピーではなく、オリジナルとしてエディション番号が記載される。数が多くあるから一枚の価値が低いわけではなく、それを作る技量も必要だという。

さらに、吉田は述べる。伝統水性多色木版

★《雷神》2023年、350×700mm、楮紙・雁皮紙・古紙・墨・岩絵具・インク・箔・金泥・蜜蝋

★《龍圖》2016年、1303×1620mm、楮紙・雁皮紙・古紙・墨・岩絵具・インク・箔・金泥・蜜蝋

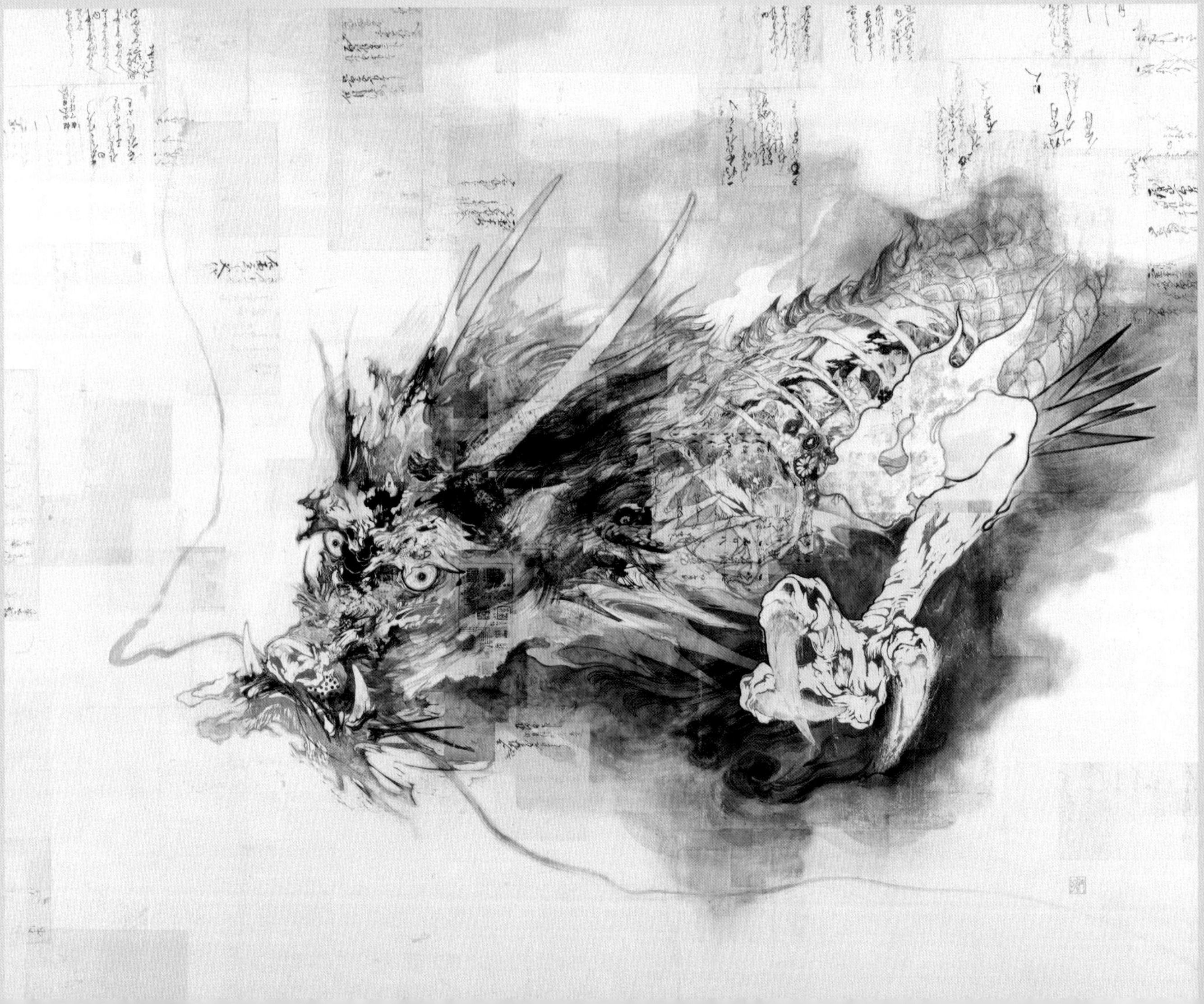

★《Twilight》2020年、333×530mm、楮紙・墨・岩絵具・インク

★《三の月》2016年、700×350mm、
楮紙・雁皮紙・古紙・墨・岩絵具・インク・箔・金泥・蜜蝋

画、つまり浮世絵版画は、江戸時代に鈴木春信によって生み出され、葛飾北斎『神奈川沖浪裏』はだれもが知っている。当時、日本画は朝廷や幕府が擁護していたことから、トリッキーなことができず、逆に、かけそば一杯の値段で売買されていた浮世絵版画は大衆芸術であったため、版元が庶民のリクエストに応えて発展した。透視図法や人工顔料（ベロ藍）など新しいものを取り入れ、常にアップデートされた。

そのプロセスのなかの大きな特徴は、木版画は「彫刻刀」と「バレン」を使うこと。和紙に墨で描いた版下を板に貼り、彫刻刀を使って彫る。再現性だけに重きを置かず、彫刻刀の切れ味を生かしながら、新しくイメージを蓄えた版木に、長年寝かした墨を置き、湿らせた和紙

★《雛月》2018年、700×350mm、楮紙・墨・岩絵具・インク・金泥

★《たゆたう畑》2018年、700×350mm、楮紙・墨・岩絵具・インク

に身体の重みをかけてバレンを使い、イメージを和紙に浸透させ、噛ませる。和紙の表面だけではなく、中間層まで食い込んだ墨の発色は奥行きがあり綺麗で、薄い和紙にも空間があることを再認識させられ、自身が持っていたイメージを軽々と超えていく。それゆえ版画の持つ偶然性（その瞬間の出合い）が、吉田の作品にはとても必要な要素であり、まだ見ぬ世界を教えてくれるメディアだと考えているそうだ。

吉田は、版画と日本画を統合して作品作りをしている。それについて、吉田は、次のように答えた。版画は印刷技術でもあることから、逆算のプロセスで作品を作る。完成品を想像し、版分解をして、それに必要な枚数の版木を彫り、設計図通りに印刷する。なので、版木をすべて摺れば完成。だが、時間が許すかぎり描く吉田の性格にはどこか物足りなく感じていたが、師事している三井田盛一郎から「ずるくていいんだよ」と助言されたことが、足枷になっていた版画のプロセスやルールから抜け出せたきっかけとなったという。

その後、吉田は、大学を出て働きながら感覚的に試行錯誤をしながら制作した。変な気負いもなく、「とりあえずやってみるか」の精神だった。河鍋暁斎の画帖、尾形光琳『杜若菖蒲図』、俵屋宗達の料紙装飾などからインスピレーションを受け、手探りの状態で化学反応的に組み上げていった。その後、「料紙装飾」というキーワードが、後になって自分に重なったという。

孔雀などの神秘性と幻想性

吉田は、孔雀などの美の神秘性を一つのテーマにしている。彼にとって、孔雀は「美」の象徴であり、唯一無二の存在だ。羽根を広げた荘厳な姿はこの世のものとは思えない、どこか仏像の光背のようにも感じられ、見る者を惹きつける。そしてそれは、自らの視覚的欲求に応えるために積層された濃密なイメージに置き換わ

★《Pictorial offering #8》2015年、455×380mm、楮紙・雁皮紙・古紙・墨・岩絵具・インク・箔・金泥・蜜蝋

り、「純然たる美」への憧れとその追求によって、制作過程で幾度となく変容を遂げ生み出されたものたちだという。そして、「彼らは現代における無数の毒によって劣化し、歪みを帯び、そして自らは衰耗しながらも、我々を甦生へと導くための生け贄として、ただただ美しくそこにある、その姿を表現したいという想いがある」とした。

また、吉田の作品には、独特の幻想性が感じられる。それについては、「まだ見ぬ世界を見たいと願い、渇望するこの眼が許す絶対的な完成度を求める一方で、欠落から生まれる不完全の美しさも求めてしまう、観る人の想像力で完成させる不完全の美が、幻想性という言葉を生み出しているのかもしれない」と述べた。さらに、エロティシズムについては、耽美的な世界を表現すること、愛（エロス）がないところには芸術（表現）は誕生しないと答えた。

ここまで話を聞いてきて、吉田の作品がさまざまなコラージュを含めて未完成の雰囲気を漂わすのは、小学校のときに「不完全なもの」「欠落したもの」に惹かれたことから、その感覚は継続していると思った。そして木版画というものが、通常はその刷りの「完全」を求めることに対して、むしろそこに物足りなさを感じるということも、よく理解できる。その刷りの技術革新は印刷につながり、そしてその極地は、おそらく紙幣の印刷につながるもので、芸術性とは遠ざかるものだからだ。美を求める者は、完全な美と不完全な美の間で揺れ動くのかもしれない。

北の大地から「版画の逆襲」を

その吉田が影響を受けたのは、河鍋暁斎、尾形光琳、伊藤若冲、俵屋宗達、葛飾北斎、ドゥシャン・カーライ、さらにティンカー・ハットフィールド、スティーヴン・スミスという二人のスニーカーデザイナーをあげた。ドゥシャン・カーライは、スロバキアの版画家、絵本作家で、吉田の作品にも共通するモノクロームの版画、

★《Elpida》2020年、727×500mm、楮紙・雁皮紙・墨・岩絵具・インク・箔・金泥・蜜蝋

そしてカラーでも独特の幻想世界を生み出している。ティンカー・ハットフィールドは、アメリカ・ナイキのデザイナーで、エアジョーダンなどをてがけた。スティーヴン・スミスは、ニューバランスからリーボック、アディダスなど各メーカーで活躍している。吉田は、「機能性とデザイン性を兼ね備えたスニーカーをネットで調べるのは至福の時間であり、いつか作品にも活かせたらと思い永遠と見てしまう」という。

吉田は、現在は札幌大谷大学の版画専攻で講師をしており、日々、学生たちに版画の授業を行う。北海道ではまだ版画に対するとらえ方が狭く、大学でも版画を志望する学生は多くない。だが、対話をしながら生まれる学生の作品は大変ユニークであり、吉田にも気づきを与えてくれるという。そして、この世のほとんどが版画的思考法で作られたモノたちで溢れかえっている現代において、版画・版表現が内包する可能性は無限であり、とても面白いことができるメディアだと感じている。北の大地から「版画の逆襲」を仕かけることを目論みながら、自分の作品もそろそろ次のステージに上がる準備をしたいと思うと結んだ。

この版画的思考法というのは、いわば前述のように、版や原型から、印刷や複製という形で製品が生産されるということだろう。それはもちろん、スニーカーでもそうである。以前取材した美術家は、デザインしたスニーカーも発売されていることを思い出した。

また、吉田が料紙装飾に注目したところも興味深い。古筆の和紙などに見られる金箔や銀箔、そして淡彩で描かれた絵や、刷られた模様などのことだ。吉田も述べている琳派などでは、絵画にも顕著に表れる。版画は、そういう用途で使われることもある。お札の透かしなどもその一つだろう。浮世絵の空刷りなど、さまざまな技法がある。このように、吉田は版画というものを多層的にとらえて、作品にのぞんでいる。今後のさらなる展開が楽しみである。

（志賀信夫）

◉文＝沙月樹京

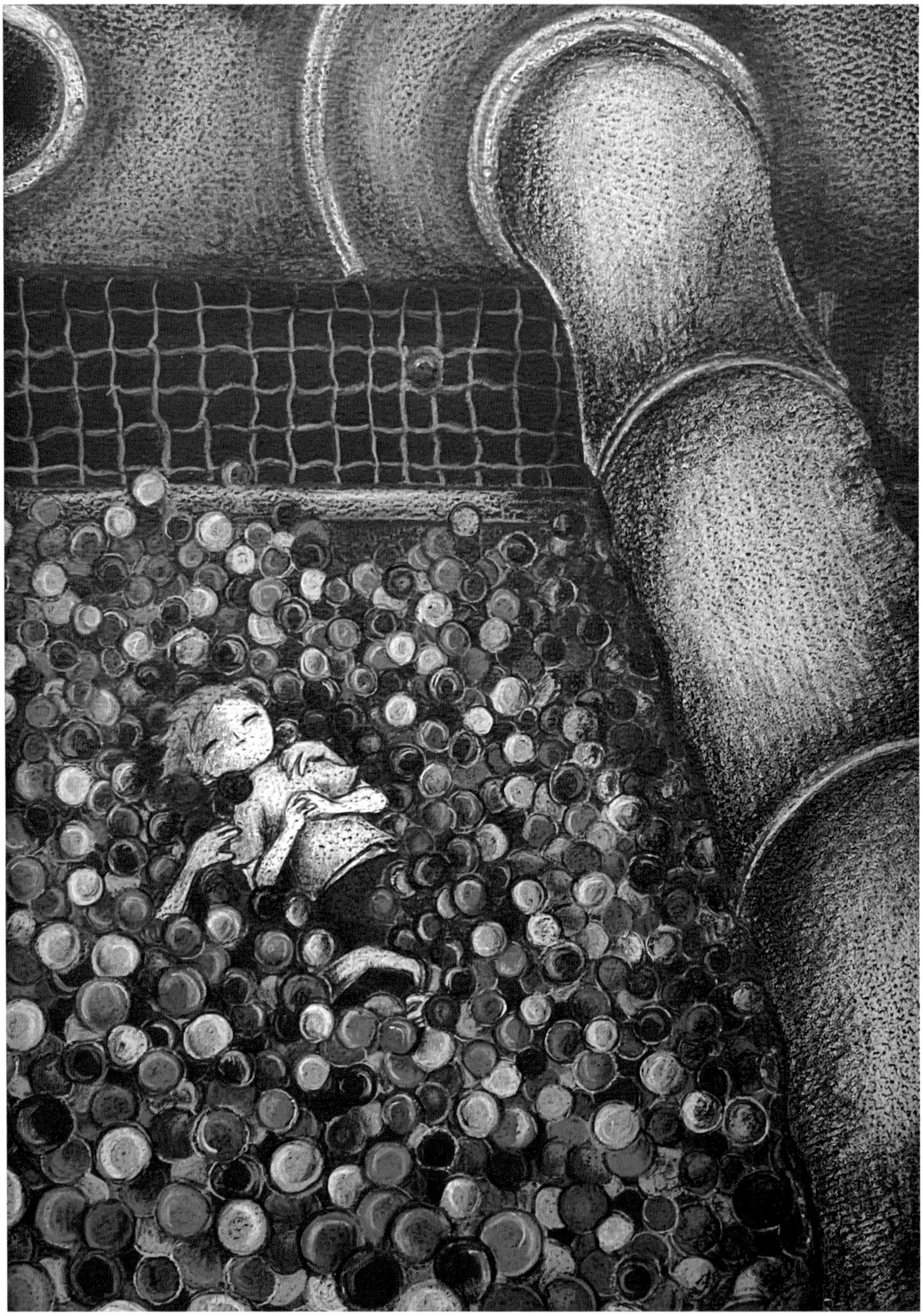

★《底に沈む》2023年、210×297mm、色鉛筆 / 黒マーメイド紙

田中　童夏

TANAKA DOUNUTS

自分である証は
子供であること

★《I LOVE YOU》2023年、297×420mm、色鉛筆 / 黒マーメイド紙

★《果ての塔》2023年、297×420mm、色鉛筆 / 黒マーメイド紙

★《まぼろし砂漠》2023年、420×297mm、色鉛筆 / 黒マーメイド紙

★《土星の環が降りてくる》2023年、605×454mm、色鉛筆 / 黒マーメイド紙

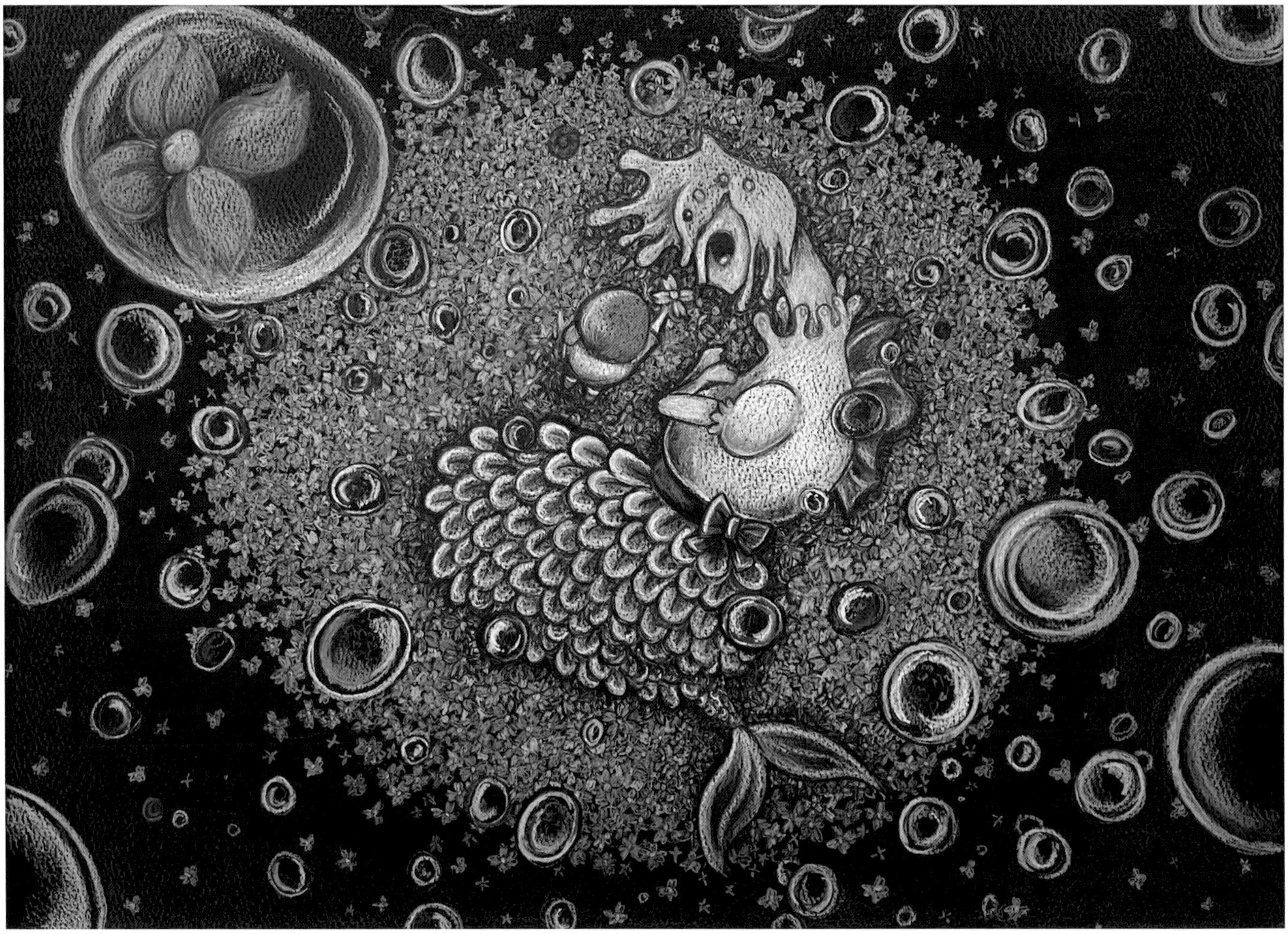

★《人魚のゆめ》2023年、420×297mm、色鉛筆 / 黒マーメイド紙

★《10代の幽霊》2021年、210×297mm、色鉛筆 / 黒マーメイド紙

★《闇夜のとばりさん》2023年、210×297mm、色鉛筆 / 黒マーメイド紙

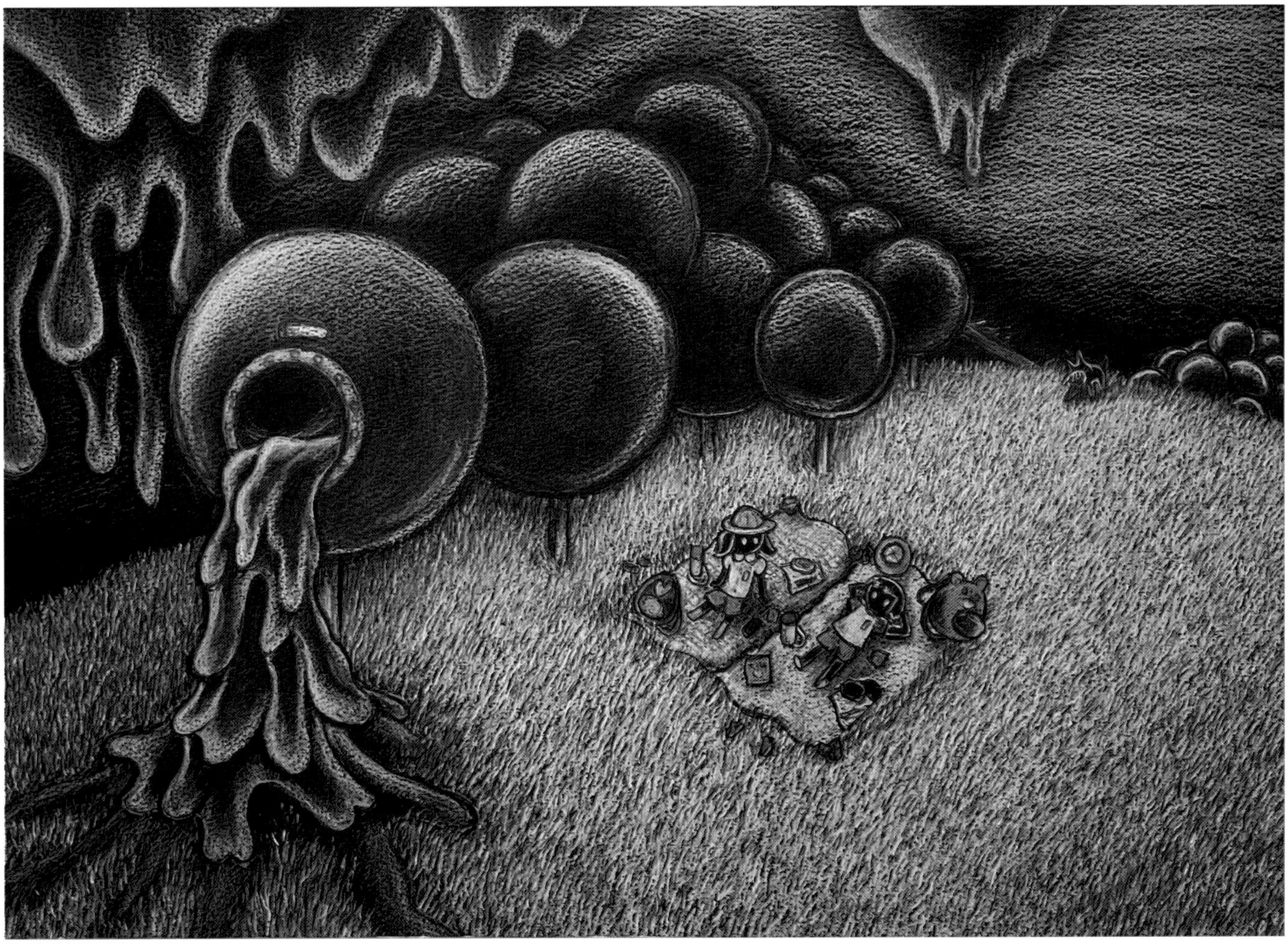

★《をわかれ遠足》2023年、420×297mm、色鉛筆 / 黒マーメイド紙

★《サマースクール（らむね）》2023年、210×297mm、色鉛筆 / 黒マーメイド紙

★《サマースクール（イツカ）》2023年、210×297mm、色鉛筆 / 黒マーメイド紙

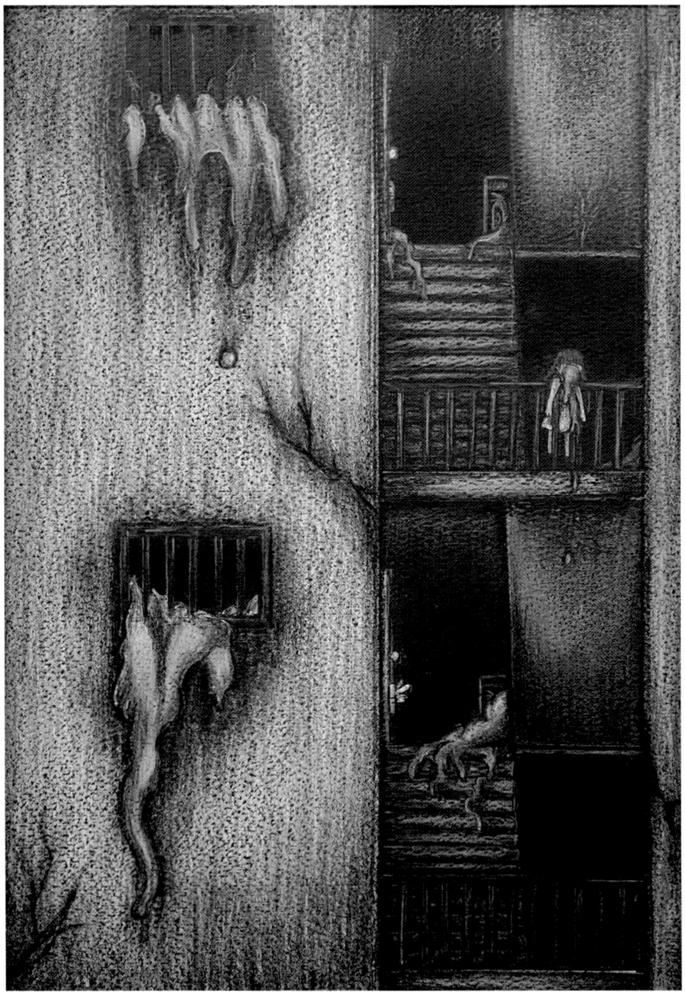

★《団地の子》2021年、210×297mm、色鉛筆 / 黒マーメイド紙

★《かぎを忘れた》2023年、210×297mm、色鉛筆 / 黒マーメイド紙

★《鏡の中でおこったこと》2021年、297×420mm、色鉛筆 / 黒マーメイド紙

★《水子れい園》2023年、297×420mm、色鉛筆 / 黒マーメイド紙

★《おかえり、黒》2023年、202×253mm、色鉛筆 / 黒マーメイド紙

★《夜と朝のあいだ》2023年、202×253mm、色鉛筆 / 黒マーメイド紙

いつか夢に見たかのような世界。奇妙で不可思議で、居心地がよさそうで悪そうな、形容しがたい感覚にさせられる光景。子供が描いたかのような素朴な絵のように見えるが、でも純粋無垢な感じとはちょっと違う……。

田中童夏は、子供のころ、大人になる前に死ぬものだと信じていたという。「自分が自分である証が『子供』であることでしたから」。しかし、そうではないと気づき始めたころの夏休み、何もない四角い部屋にずっと閉じこもっていたという。それが、「今となっ

★《生まれなかったきみと生きる》2023年、750×500mm、色鉛筆 / 黒マーメイド紙

死や闇の幻想に支配された
子供時代の記憶を手繰り寄せる

ては存在したのかどうかもわからない『うらがわの夏休み』の記憶」。今回の個展のタイトルは、そこから取られた。

夏休みというと、学校生活などの日常から離れた眩しい光に満ちた時間、というイメージがあるかもしれない。それに対して「うらがわの夏休み」とは、現世とはちがう場所。光のない、死への幻想に支配された時間。

それは田中の絵画の描き方にも現れている。田中は、白い紙ではなく、黒い紙に色鉛筆などで描く。黒という闇の中から図像を浮かび上がらせるその手法は、まさに「うらがわ」からのアプローチ。それはつまり、無意識の闇をかき分けて、「子供」の時代の記憶を手繰り寄せる感覚そのものであるとも言えるかもしれない。

「最近は昔の記憶も曖昧になってきました」「しかしわたしは子供時代に自らしがみ続けてしまいます。忘れてしまったら自分が何も残らなくなる気がするのです」「昏い子供時代は呪いではありますが美しくもあるのです」。

そうした強い思いで描かれた絵は、ときにホラーじみた濃い闇を醸しながらも、観る者の心の奥底に沈んでいた何かを呼び醒ますだろう。多くの人が忘却し封印してしまった記憶や感情が、その作品によって目を覚ます。

暗いイメージの作品が並ぶ中で、《水子れい園》は少々異色かもしれない。そこにあるのは、明るくハツラツとした光景だ。これは、子供の頃に連れて行かれた水子の霊園がモデルになってるのだという。田中は、水子の呪いみたいなものは絶対にないと思っている。水子は、憎しみを覚える前、快か不快しかないときに亡くなられた。「だからわたしの描く水子さんは無垢で可愛いです」。

死や闇を近しく思っているからこそ、そのように寄り添えるのかもしれない。

（沙月樹京）

※田中童夏 個展「うらがわの夏休み」は、2023年10月7日〜11日に、大阪・中崎町のSUNABAギャラリーにて開催された。

鮎（Ayu）

AYU

◉文＝沙月樹京

★《サロメ〜踊りのあと〜》2023年、333×242mm、鉛筆 / ケント紙

★《サロメ〜あの月を取って〜》2023年、318×410mm、透明水彩・墨・水干絵具・岩絵具・金箔・銀箔 / 水彩紙

★《オンディーヌ》2023年、242×333mm、鉛筆・水性色鉛筆・油性色鉛筆 / 水彩紙

★《花が降ってくると思う》2023年、227×227mm、鉛筆 / ケント紙

物語などから得たインスピレーション

★《硝子越しの恋》2023年、160×227mm、透明水彩・墨・水干絵具・岩絵具／水彩紙

★《メドゥーサの鼓動》2023年、333×242mm、透明水彩・墨・水干絵具・岩絵具・金箔・銀箔 / 水彩紙

★《雪豹》2023年、100×148mm、透明水彩・墨・水干絵具・岩絵具・金箔・銀箔 / 水彩紙

★《小白龍》2023年、100×148mm、透明水彩・墨・水干絵具・岩絵具・金箔・銀箔 / 水彩紙

★《君が通り過ぎるまで》2023年、220×273mm、鉛筆・油性色鉛筆・アクリル・紅茶 / ケント紙

異世界的な幻想と物語性をまとい、艶かしくきらめく女性像

まつげの長い、くっきり大きな目。赤く塗られた厚い唇。現代的な美しい女性像だ。画面にはきらびやかに光が反射し、とりわけ目や唇に反射する光はまぶしいくらいで、とても艶めかしい。作品によっては金箔や銀箔、岩絵具なども使われ、それがまた光を演出している。

だが光は移ろうもの。どことなくその女性たちが儚げに見えてしまうのは、その光のせいだろうか。その光も含めて絵に醸し出されている空気感が、幻想的な雰囲気を湛えている。現代的な面立ちの女性を描きながら、現実とは違う異世界的な様相をまとっているのが、鮎（Ayu）の作品の特質のひとつだと言えるだろうか。

作品を見渡してみれば、多くは現実とは異なる背景の中に女性はいる。その背景は花や動物などが暗喩的に描かれ、それが異世界的な幻想性を醸していると言える。

《サロメ～あの月を取って～》は、仰向けに寝そべる女性像。妖しく危うく情

★《spice》2023年、140×180mm、透明水彩・墨・水干絵具・岩絵具・金箔・銀箔 / 水彩紙

熱に満ちたサロメ。彼女はおそらく、遠くに輝く月を所望しているのだろう。背景の蓮は、その純粋さ、救いを求める気持ちを象徴しているのだろうか。《サロメ〜踊りのあと〜》は、それとはテーマも雰囲気もまったく異なるものにしたくて鉛筆画にしたのだという。こちらは妖艶さが色濃い。

《オンディーヌ》は、「水の精オンディーヌの悲恋物語と花魁のイメージがずっと重なっていて」このような和洋折衷の作品に仕上げたのだという。見事な柄と質感の着物に身を包んだ花魁が、浮世絵のように描かれた波に飲まれている。「アルシュという細かい目の水彩紙に描いたのは、浮世絵のようなテイストが出る気がする」からだそうだ。

ハガキサイズの《小白龍》《雪豹》は、初個展のときから描き続けている白い動物シリーズ。白い動物を鮎（Ayu）ならではの幻想をまぶして擬人化し、その白の美を追求している。

一方、《君が通り過ぎるまで》は、他作品に較べると現実の光景に近いが、紅茶なども用いてレトロ感を演出。紙の本を読むという光景自体が、レトロなものになってきているのかもしれない。

そして一風変わった構図の《花が降ってくると思う》は、八木重吉の詩からインスピレーションを受けて描いたものだという。このように文学をモチーフにした作品が散見されるのは、上智大学文学部卒という経歴も関連しているのだろうか。単に美しく可愛らしい女性像ではなく、そうした文学や伝承などに依拠した物語性のもとに描いているからこそ、その作品や人物の存在感に厚みが感じられるのだろう。まだ個展はこれが3回目。今後も楽しみにしたい。

（沙月樹京）

※鮎（Ayu）個展「あの月を取って」は、2023年10月14日〜11月1日に、大阪・中崎町のSUNABAギャラリーにて開催された。

●文=沙月樹京

★《Don't watch me》2023年、410×318mm、油彩・アルキド樹脂 / 板

真木環
MAKI TAMAKI

少女は悪魔や魔女などと対峙する

★《少女火刑図》2023-24年、735×600mm、油彩・アルキド樹脂 / 板

★《ジャンヌ・ダルクの冒険》2023-24年、455×380mm、油彩・アルキド樹脂 / 板

★《マンドラゴラの赤ちゃん》2023-24年、200×200mm、油彩・アルキド樹脂 / 板

★《犬の躾》2023年、273×273mm、油彩・アルキド樹脂 / 板

★《騒々しい訪問者》2023-24年、410×318mm、油彩・アルキド樹脂 / 板

★《納骨堂での生活》2023-24年、469×320mm、油彩・アルキド樹脂 / 板

★《闖入者》2023-24年、910×727mm、油彩・アルキド樹脂 / 板

◉真木環 個展「不埒な乙女の慈善週間」
2024年4月6日（土）～21日（日） 月・火休
12：00～19：00 入場無料
場所／東京・小伝馬町 みうらじろうギャラリー
Tel.03-6661-7687
https://jiromiuragallery.com/

書き割りの舞台のような奇妙な世界で少女が繰り広げる幻想

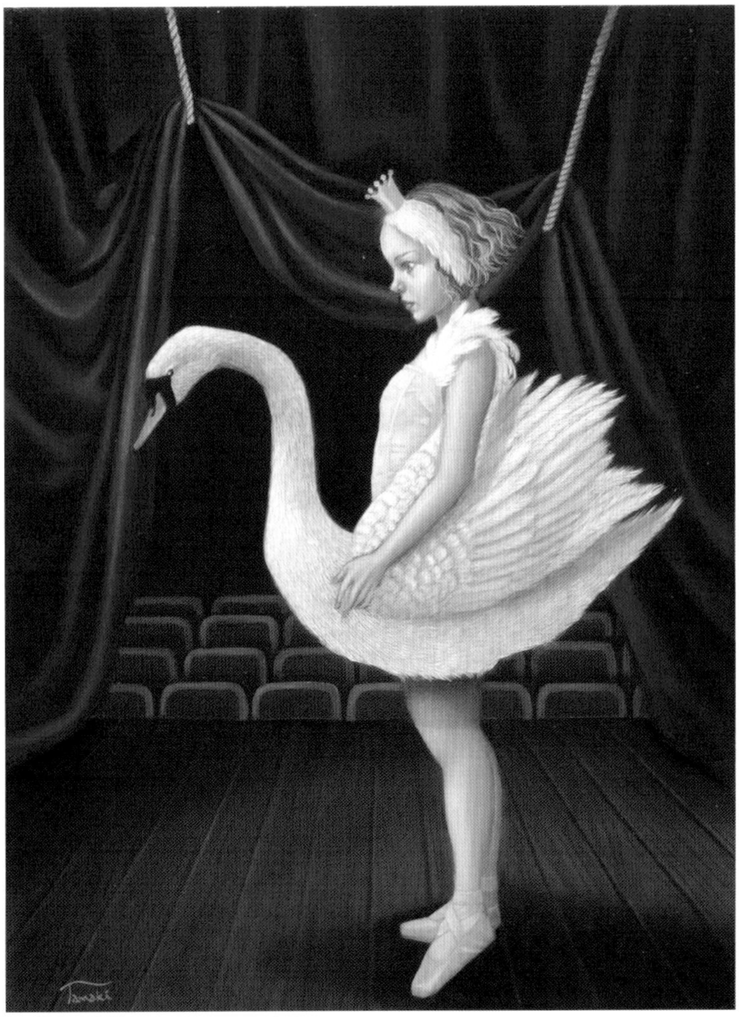
★《白鳥の湖》2023年、333×242mm、油彩・アルキド樹脂 / 板

描かれるのは、一貫して少女。しかも儚くか弱い感じではなく、摩訶不思議な世界にあって、しっかりとその存在感を放っている。その魔術的な世界観といい、書き割りの舞台のような背景といい、どことなく中世の絵画のような雰囲気を湛えているのも真木環の特質だ。われわれの住むこの現実とは違う奇妙なテイストの幻想が、観る者を惹きつける。

その真木がこんど開く個展は、「対決する少女」がテーマなのだという。「悪魔や魔犬、魔女、怪物、嘲笑する人々など」さまざまなものと少女は対峙する。悪魔や魔女といったモチーフからして中世的な世界を彷彿とさせるが、真木はそうした世界で少女がどのような表情をみせてくれるか、楽しんでいるように思う。

《少女火刑図》は小人の世界だろうか。少女は火炙りにされているが、その炎も背景の建物も書き割りのよう。無表情な動物の頭をしたものたちとの対峙を、舞台の1シーンのように描く。また《闖入者》は、赤鬼らしきものを乗せた木が、おそらく壁を突き破って部屋に入ってきたのだろう。きれいに先が切られた木の枝はやはり作り物のようで、驚いた少女のポーズも、どこかコミカル。《ヘラクレスに扮するアリス》では、獅子の皮を被ったアリスは、壁紙の前に座って草原にでもいる気分なのだろうか。そうした虚構性が少女の様子にユーモラスさを加味している。

一方、《納骨堂での生活》だけが、少女は絵画に登場する者とではなく鑑賞者と対峙しているのだという。ランプに照らされた部屋には、山羊や鶏、芋に鍋。壁には髑髏とともに人形や電話機などが置かれている。この少女はあなたに何を問いかけようとしているのだろう。それはぜひ個展会場で感じ取ってみたい。

（沙月樹京）

★《ヘラクレスに扮するアリス》2023年、333×242mm、油彩・アルキド樹脂 / 板

◉文＝志賀 信夫

★《郷愁》2023年、F10、シナベニヤにパネル・白亜地・油絵具

鶴 友那

TSURU YUNA

細部まで描き込むことで精神世界にたどり着きたい

★《命の行く先》2023年、S100、シナベニヤにパネル・白亜地・油絵具

★《連鎖》2023年、M12、
シナベニヤにパネル・白亜地・油絵具

★《共存》2023年、F10、
シナベニヤにパネル・白亜地・油絵具

★《泡沫》2021年、F10、シナベニヤにパネル・白亜地・油絵具

★《夢幻》2021年、F10、シナベニヤにパネル・白亜地・油絵具

永い未来を紡いでいく小さな命のつながりをリアリズムで描く

根無草のような感覚

鶴友那の作品は、きわめてリアルである。描かれる女性、川の流れ、レースや布の模様など、西欧の古典的な絵画の技法を極めているように見える。そこから、自然に幻想性が立ち上がる。また、注目すべき一つは妊娠した女性の絵である。それは、どうやら自画像のようだ。妊娠した自らのヌード写真を発表する人はいるが、絵画というのは、珍しい。どうして、彼女はこれを描いたのだろうか。

鶴友那は、子どものころから絵を描くのが好きだった。そのときは、いかにも女の子が好きそうなお姫様やお花や動物などのイラストを、とりとめもなく描いていた。当時、かなりの紙を消費したが、両親は広告の裏紙をクリップで止めた「自由帳」を作るなどさまざまな工夫をして、自由にのびのびと描かせてくれたそうだ。

鶴は、広島出身だが、小学二年生のときに福岡に引っ越したこともあり、広島、福岡ともに思い入れがない。それゆえ、後に大学で作品を作る際に、自分のアイデンティティの大切さや、いかにそれを作品に落とし込むかという問題に直面することになった。自分の故郷がないこと、根無草のような感覚が、自分のコンプレックスになったという。

だが、大学四年生のときに祖父が他界し、瀬戸内海の島にある墓を訪れたとき、何度も来たことのある場所なのに、そこから見える海が、いつも以上にキラキラと眩しく美しくて、祖父とのつながりや自分が生きていること、自分のルーツなどを深く感じるきっかけになった。そして、それまでのコンプレックスを受け入れて、制作に向かえるようになったのだ。

小木曽誠に学ぶ

鶴は佐賀大学に進み、文化・教育学部美術・工芸課程で、画家で准教授の小木曽誠に絵画制作の基礎を学んだ。小木曽は、見て描く基礎

★《二つの鼓動》2020年、M50、シナベニヤにパネル・白亜地・油絵具

力を大切にしており、自画像や静物、裸婦や老人など、さまざまなモデルを実際に見て描く授業が多かった。さらに、油絵にとどまらないマチエールの作り方や、銅版画など、幅広い表現が可能であることを学んだ。また、技術的なことだけでなく、制作に向かう姿勢や、展覧会を企画することなど、実践的な部分も学び、小木曽のつながりにより東京で初めてグループ展をしたのが、画家としての第一歩といえる貴重な経験となった。高校生までは、なんとなく絵が好きで、自分勝手に絵を描いていたが、画家として人に作品を観てもらうことや、これから画家を続けていくにはどうすればいいかなど、具体的な将来を考えることも教えてもらったという。

鶴はまた、小木曽の縁で、九州に移築された岡田三郎助のアトリエで制作する機会があった。そのときには、岡田の日本人女性の肌の表現と装飾美に、感銘を受けたそうだ。鶴の表現は、基本的には大学で小木曽に学んだ技法を土台としている。さらに他の画家などの講習などを受け、そして展覧会を見ることも「学び」になっているという。小木曽誠は日動画廊の画家でもあり、おもに女性を描くその作品を見ると、鶴が大きな影響を受けていることがよくわかる。その小木曽の作品も魅力的だが、女性に対する視点は異なるように思える。鶴の作品は、より女性の中に踏み込んでいるように見えるのだ。

人の感情や精神世界を描く

鶴の作品は、まずそのリアリズムが目を引く。女性の表情と身体のリアル、それとともに惹かれるのは、レースのディテール、女性がまとう布の織られた模様など。そこには何か、欧州の古典に通じるような重さが感じられる。そのリアリズムは、どこからくるのか。それを鶴に尋ねてみた。

彼女は、表現したい内容によって、形や色彩などを変化させて描いているので、徹底した

★《磨かれた石と光》2018年、S30、シナベニヤにパネル・白亜地・油絵具

★《サンタンジェロ橋》2019年、S10、シナベニヤにパネル・白亜地・油絵具

★《風光る》2018年、S30、シナベニヤにパネル・白亜地・油絵具

★《ドン・ルイス１世橋》2019年、S10、シナベニヤにパネル・白亜地・油絵具

リアリズムというよりも、人の感情や精神世界を描くことに重きを置いている。そして、モチーフをより丁寧に、細部まで描き込むことで、精神的な世界までたどり着けるのではないかと信じて描いている。それが結果的に、写実的に見えるかもしれないという答えだった。

さらに、彼女の作品に眼をとめたきっかけは、妊娠した女性の絵だったが、それは自画像のように見えた。それはどうしてだったのか。彼女は、前述のように、自分のアイデンティティが弱いことをコンプレックスとして制作を始め、そのうちに、自分を含めて現代に生きる人々は、生と死や、大人と子ども、男と女など、さまざまな境界線上で、揺らぎながら生きているように思った。そうして、生きていく人の姿を自分の目線で、ありのままに描いていくことで、鶴自身も自分のアイデンティティや存在意義を見出せるのではないかと思って、制作しているという。

そして、彼女は、さまざまな経験、出会いや別れのなかで、その存在意義とは、「つながり」の中にあるのではないかと考えるようになった。人は、何かしらのものとつながって生きており、その小さな命のつながりが、永い未来を紡いでいくように思うという。

そのきっかけは、前述のように、祖父の死だった。そこから「つながり」を意識し始め、自身の妊娠、出産をきっかけに、また新しい形での「つながり」を体験したことで、それを絵画として残そうと思ったのだ。

鶴は二〇二三年に、妊娠・出産を機に描いた作品をまとめた個展をした。その個展のステートメントによれば、出産・子育て体験で、「母子の関係が必ずしも絶対的なものだと思わなくなり」、「血のつながりがなかったとしても、さらには対人ではなく、対生物、対社会、対自然というありとあらゆるものでも、その命を大切に守り慈しむことができる」とする。そして、「一つの命が存続するために重要なのは、できる限り多くのものの関わり合いであり、さまざ

★《光の泡》2017年、S30、シナベニヤにパネル・白亜地・油絵具

★《ながれとどまりうずまききえる》2016年、S100、シナベニヤにパネル・白亜地・油絵具

まな価値観のものが共に生きていくことこそ、命をつなぎ、永い未来をつなぐことなのだ」という。さらに、「人の弱くて脆くも生きていこうとする強さや美しさを絵画として描きながら、私自身も「命のつながり」を考えていきたい」と述べている。

生と死、幻想と装飾性

また、鶴の作品には人間の生と死が感じられる。彼女は、生と死、生きること、時間の流れなどを表現するのに、花をモチーフにすることがあり、その際に、「枯れかかった、あるいは枯れてしまった花も描く」。さらに、アンティークや歴史を感じさせるもの、壊れたものや風化したものにも強く惹かれ、モチーフにするという。そんなところに、彼女の死生観がにじみ出ているといえるだろう。

そしてその作品が「女性のリアル」を感じさせるのは、鶴が、見たもの感じたものをきっかけに描いており、自画像的でもあるからだ。ただ、個人の心の揺らぎや感情から始まっても、似たようなものが男女問わず多くの人の心に潜んでいると考えており、それを作品へ落としこみ、鑑賞者の心に何かしらの動きをもたらすことで、普遍的なものへと昇華することを願っていると、鶴は述べた。

彼女の作品は、どことなく幻想絵画を感じさせる。それについて、鶴は、精神世界を描くことに重きを置き、色彩を変化させたり、複数のものを組み合わせて描いたりすることが、その一因ではないかという。

そして、装飾美も彼女の作品の重要な要素だ。鶴は、さまざまな模様が連なったさまや、細い糸が繊細に編み込まれて大きな美しい模様となるレースや編み物などを組み合わせてモチーフとする。それらは、小さな命が永い未来を紡いでいくこと

★《追憶》2023年、F10、シナベニヤにパネル・白亜地・油絵具

★（右頁）《未知》2022年、S30、シナベニヤにパネル・白亜地・油絵具

や、人の弱さと強さ、複雑に絡み合う感情などを表す。そういった過剰とも見える装飾性が幻想性へとつながるのだろうか。

彼女は、そうした装飾性と写実性という、相反する二つの要素を一つの画面に描き込むことで、複雑な精神世界を表し、独自の絵画が確立すればと考えている。さらに、エロティシズムを含めた、さまざまな感情が入り組んだ、複雑な人の内側を描いていけたらとも述べた。

コントロールできない感情に直面

鶴が影響を受けたとしてあげたのは、ラファエル前派や象徴主義の画家で、最も影響を受けたのはグスタフ・クリムトだそうだ。なるほど、それで合点がいった。最初見たときに、ダンテ・ガブリエル・ロセッティを思ったのは、遠くはなかった。リアルであり、装飾的でもあり、そして幻想的だ。ただ、ラファエル前派やクリムトなどは、小説や伝説、物語に依ることが多い。それに対して鶴は、自らの体験を背景に作品を生み出す。それが切実なリアルを生むとともに、より深い精神性を求めることにもつながっているのだろう。

妊娠、出産、子育てという体験のなかで、自らを、そして人間の身体を描き、そこで描くことにより人間追求を進めていくということ。画家はだれしも、何を描くか、どうして描くかを模索するという。鶴はそのなかで、一つの道筋を得た。それによって、今後どのように展開していくか、深化していくか、楽しみである。

鶴は、今後、定期的に個展をしたいという。そして、出産・育児を経験したことや、年齢的なこともあってか、より複雑でコントロールできない新たな感情に直面しているそうだ。そのコントロールできない感情とは、どのようなものだろうか。彼女は、今後は、これまで描いてきた人の精神世界を深掘りし、そういった「感情」を、テーマの一つとして制作に向かいたいと締めくくった。

（志賀信夫）

FILE.40-08

HIROTA SATOMI ヒロタサトミ

四谷シモンの技法を後世に伝えたい

●写真＝田中流／文＝沙月樹京

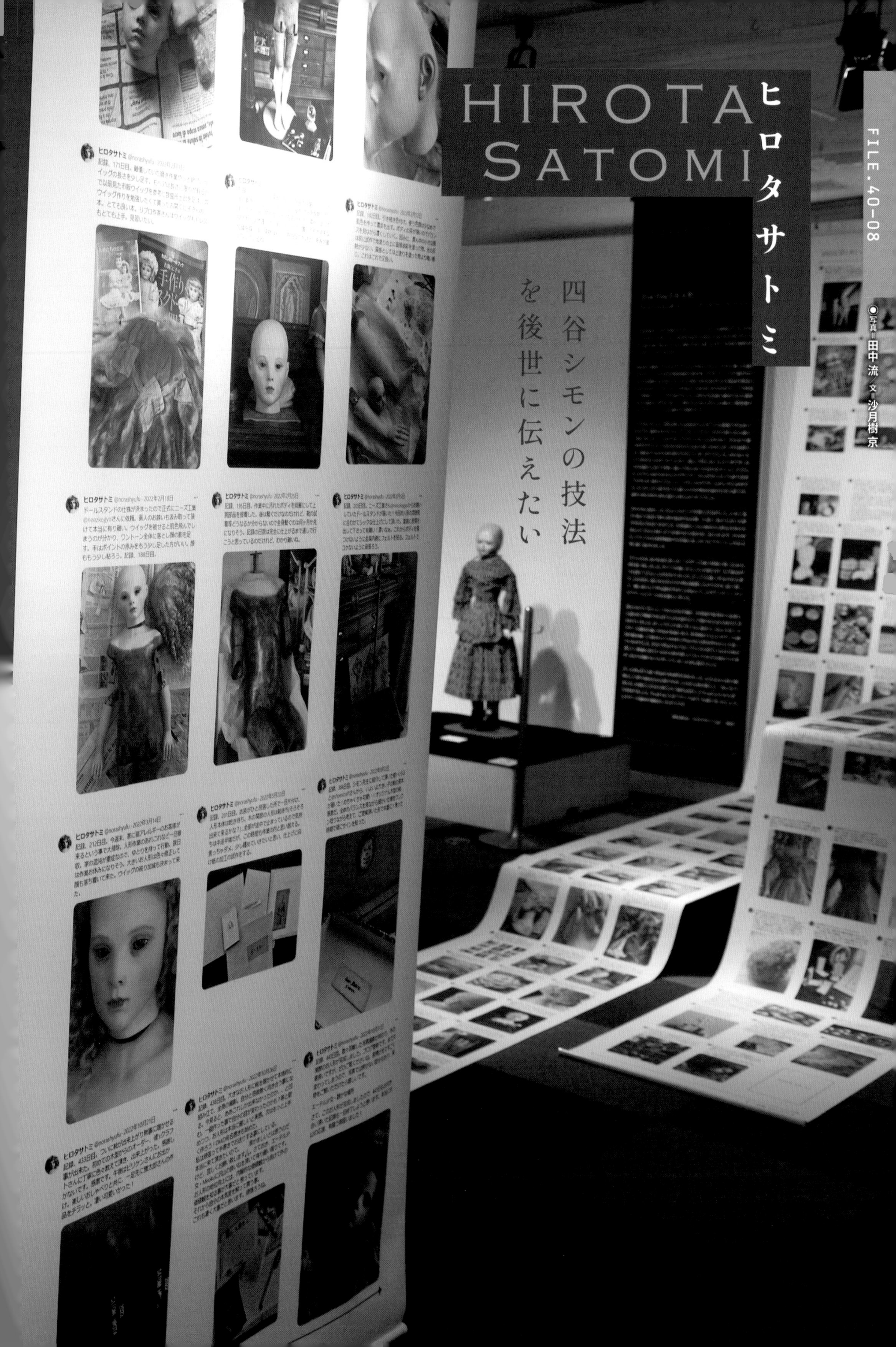

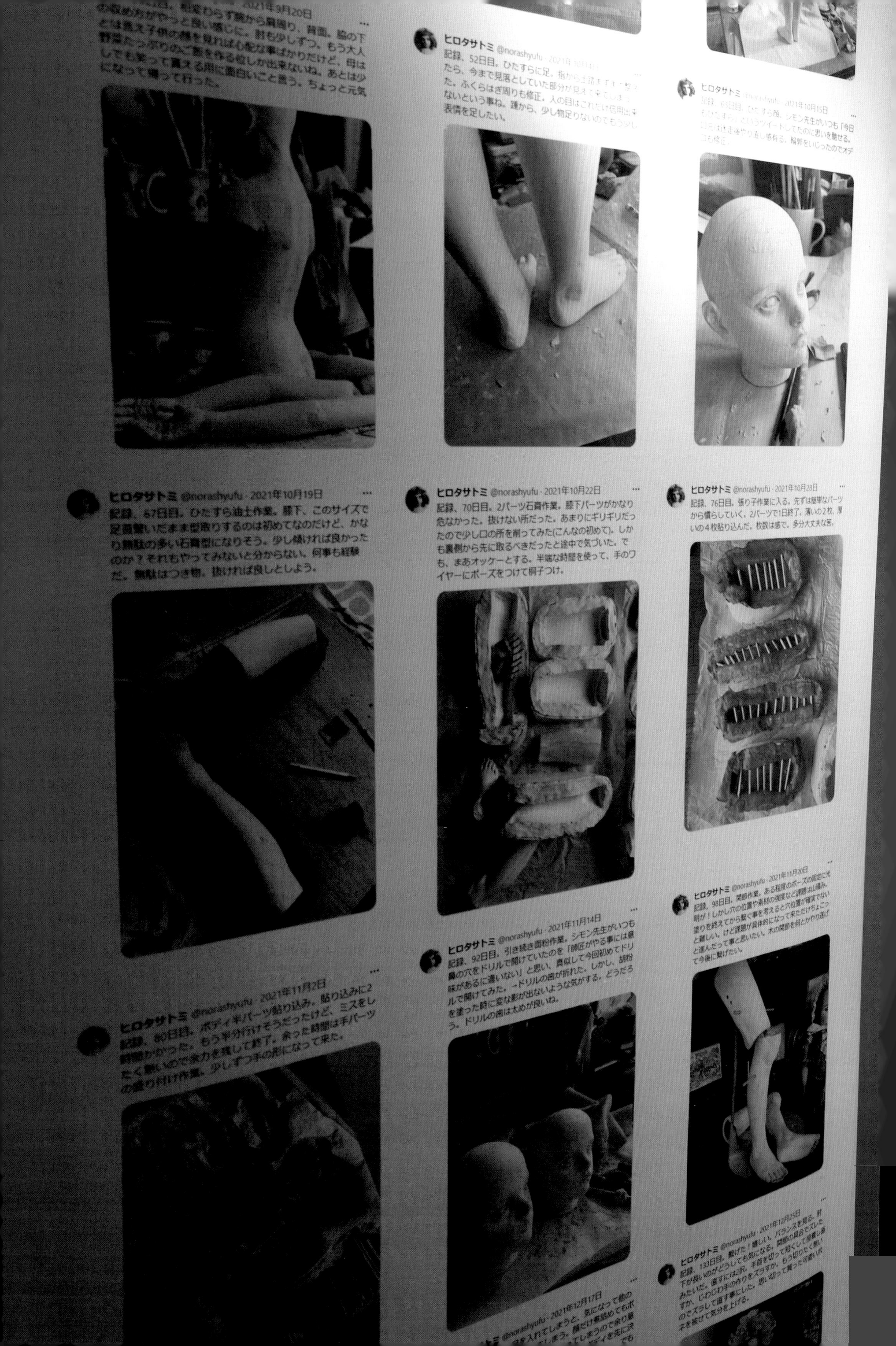

…相変わらず腕から肩周り、背面。脇の下の収め方がやっと良い感じに。肘も少しずつ。もう大人とは言え子供の顔を見れば心配な事ばかりだけど、母は野菜たっぷりのご飯を作る位しか出来ないね。あとは少しでも笑って貰える様に面白いこと言う。ちょっと元気になって帰って行った。 2021年9月20日
ヒロタサトミ @norashyufu · 2021年10月
記録、52日目。ひたすらに足。指から土踏まずまで整えたら、今まで見落としていた部分が見えて来てしまった。ふくらはぎ周りも修正。人の目はこれだけ信用出来ないという事ね。踵から、少し物足りないのでもう少し表情を足したい。
ヒロタサトミ @norashyufu · 2021年10月15日
記録、63日目。ひたすら顔。シモン先生がいつも「今日もひたすら」というツイートしてたのに思いを馳せる。口元は迷走感やり直し感有る。輪郭をいじったのでオデコも修正。
ヒロタサトミ @norashyufu · 2021年10月19日
記録、67日目。ひたすら油土作業。膝下、このサイズで足首繋いだまま型取りするのは初めてなのだけど、かなり無駄の多い石膏型になりそう。少し傾ければ良かったのか？それもやってみないと分からない。何事も経験だ。無駄はつき物。抜ければ良しとしよう。
ヒロタサトミ @norashyufu · 2021年10月22日
記録、70日目。2パーツ石膏作業。膝下パーツがかなり危なかった。抜けない所だった。あまりにギリギリだったので少し口の所を削ってみた(こんなの初めて)。しかも裏側から先に取るべきだったと途中で気づいた。でも、まあオッケーとする。半端な時間を使って、手のワイヤーにポーズをつけて桐子つけ。
ヒロタサトミ @norashyufu · 2021年10月28日
記録、76日目。張り子作業に入る。先ずは簡単なパーツから慣らしていく。2パーツで1日終了。薄いの２枚、厚いの４枚貼り込んだ。枚数は感で。多分大丈夫な筈。
ヒロタサトミ @norashyufu · 2021年11月2日
記録、80日目。ボディ半パーツ貼り込み。貼り込みに2時間かかった。もう半分行けそうだったけど、ミスをしたく無いので余力を残して終了。余った時間は手パーツの盛り付け作業。少しずつ手の形になって来た。
ヒロタサトミ @norashyufu · 2021年11月14日
記録、92日目。引き続き面粉作業。シモン先生がいつも鼻の穴をドリルで開けていたのを「師匠がやる事には意味があるに違いない」と思い、真似して今回初めてドリルで開けてみた。→ドリルの歯が折れた。しかし、胡粉を塗った時に変な影が出ないような気がする。どうだろう。ドリルの歯は太めが良いね。
ヒロタサトミ @norashyufu · 2021年11月20日
記録、98日目。関節作業。ある程度のポーズの固定に光明が！しかし穴の位置や素材の強度など課題は山積み。塗りを終えてから繋ぐ事を考えると穴位置が確実でないと難しい。けど課題が具体的になって来ただけちょこっと進んだって事と思いたい。木の関節を何とかやり遂げて今後に繋げたい。
@norashyufu · 2021年12月17日
…を入れてしまうと、気になって他の…しまう。顔だけ煮詰めても…てしまうので余り…ディを先に…でも
ヒロタサトミ @norashyufu · 2021年12月25日
記録、133日目。繋げた！嬉しい。バランスを見る。肘下が長いのがどうしても気になる。関節の具合でズレたみたいだ。直すには2択。手首を切って短くして接着しますか、じわじわ手の作りをズラすか。もう切りたく無いのでズラして直す事にした。思い切って買った可愛いドレスを着せて気分を上げる。

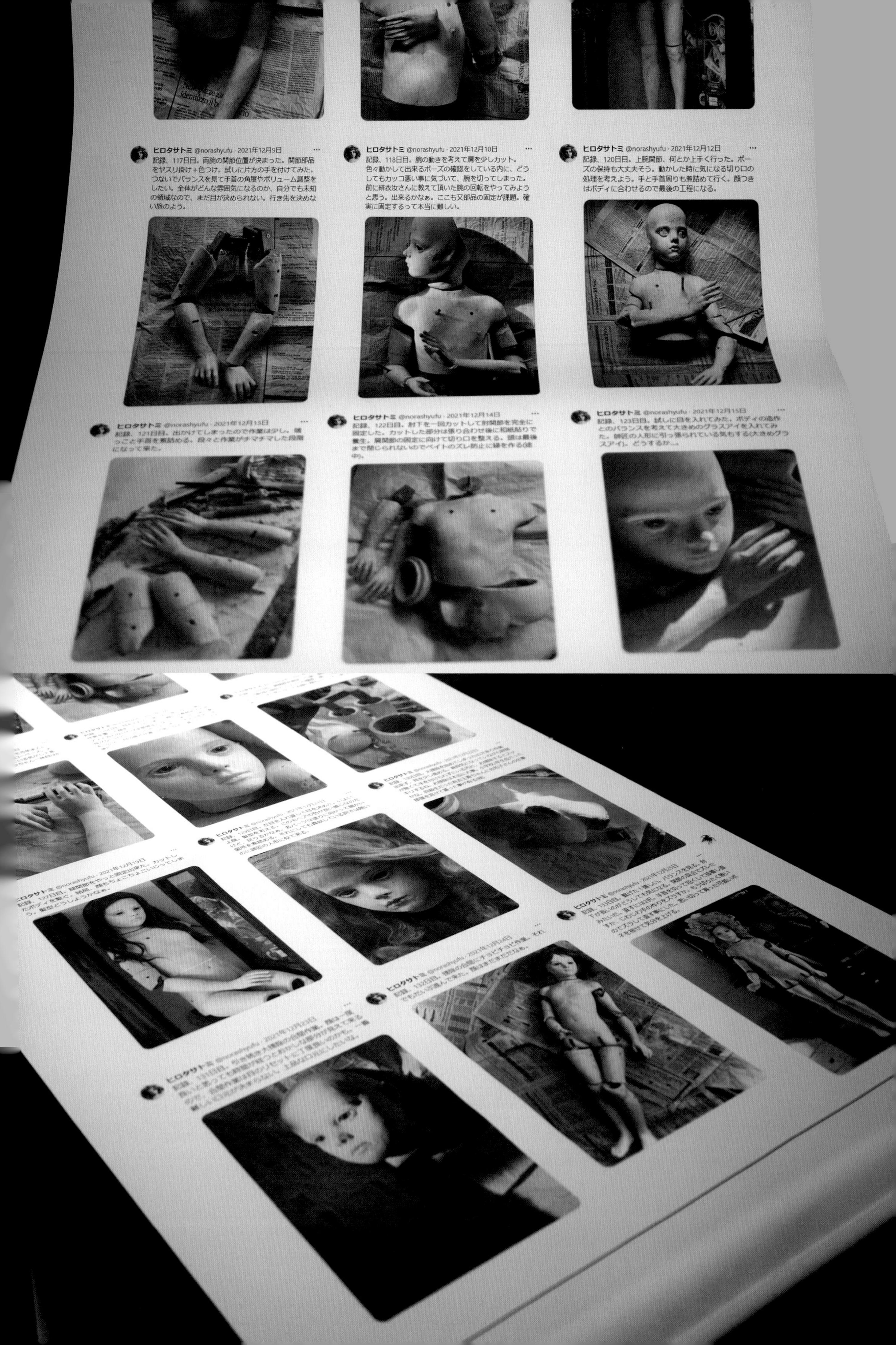
ヒロタサトミ @norashyufu · 2021年12月9日
記録、117日目。両腕の関節位置が決まった。関節部品をヤスリ掛け＋色つけ。試しに片方の手を付けてみた。つないでバランスを見て手首の角度やボリューム調整をしたい。全体がどんな雰囲気になるのか、自分でも未知の領域なので、まだ目が決められない。行き先を決めない旅のよう。
ヒロタサトミ @norashyufu · 2021年12月10日
記録、118日目。腕の動きを考えて肩を少しカット。色々動かして出来るポーズの確認をしている内に、どうしてもカッコ悪い事に気づいて、腕を切ってしまった。前に緋衣汝さんに教えて頂いた腕の回転をやってみようと思う。出来るかなぁ。ここも又部品の固定が課題。確実に固定するって本当に難しい。
ヒロタサトミ @norashyufu · 2021年12月12日
記録、120日目。上腕関節、何とか上手く行った。ポーズの保持も大丈夫そう。動かした時に気になる切り口の処理を考えよう。手と手首周りも煮詰めて行く。顔つきはボディに合わせるので最後の工程になる。
ヒロタサトミ @norashyufu · 2021年12月13日
記録、121日目。出かけてしまったので作業は少し。残っこと手首を煮詰める。段々と作業がチマチマした段階になって来た。
ヒロタサトミ @norashyufu · 2021年12月14日
記録、122日目。肘下を一回カットして肘関節を完全に固定した。カットした部分は張り合わせ後に和紙貼りで養生。肩関節の固定に向けて切り口を整える。頭は最後まで閉じられないのでペイトのズレ防止に縁を作る(途中)。
ヒロタサトミ @norashyufu · 2021年12月15日
記録、123日目。試しに目を入れてみた。ボディの造作とのバランスを考えて大きめのグラスアイを入れてみた。師匠の人形に引っ張られている気もする(大きめグラスアイ)。どうするか…
ヒロタサトミ @norashyufu · 2021年12月19日
ヒロタサトミ @norashyufu · 2021年12月24日

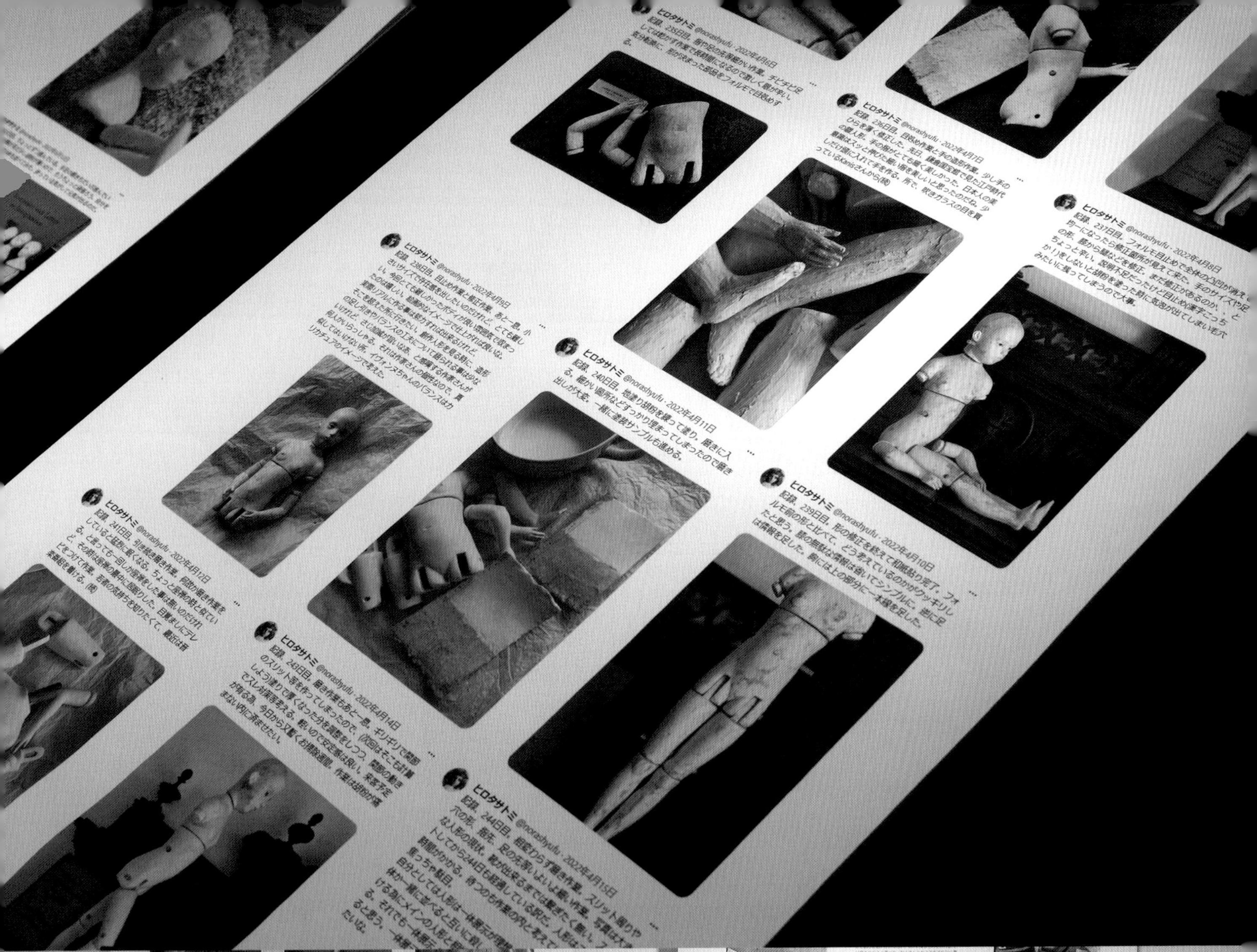
ヒロタサトミ @norashyufu · 2022年4月6日
ヒロタサトミ @norashyufu · 2022年4月7日
ヒロタサトミ @norashyufu · 2022年4月8日
ヒロタサトミ @norashyufu · 2022年4月9日
ヒロタサトミ @norashyufu · 2022年4月11日
ヒロタサトミ @norashyufu · 2022年4月10日
ヒロタサトミ @norashyufu · 2022年4月12日
ヒロタサトミ @norashyufu · 2022年4月14日
ヒロタサトミ @norashyufu · 2022年4月15日

★（上）《2人のエーテル少女》2023年、
桐粉と石塑のmixに和紙貼り・胡粉仕上げ
（右下）《エーテル少女・小さな面影》2023年、
桐粉と石塑のmixに和紙貼り、胡粉仕上げ
（左下）《エーテル少女》2023年、
桐粉と石塑のmixに和紙貼り・胡粉仕上げ

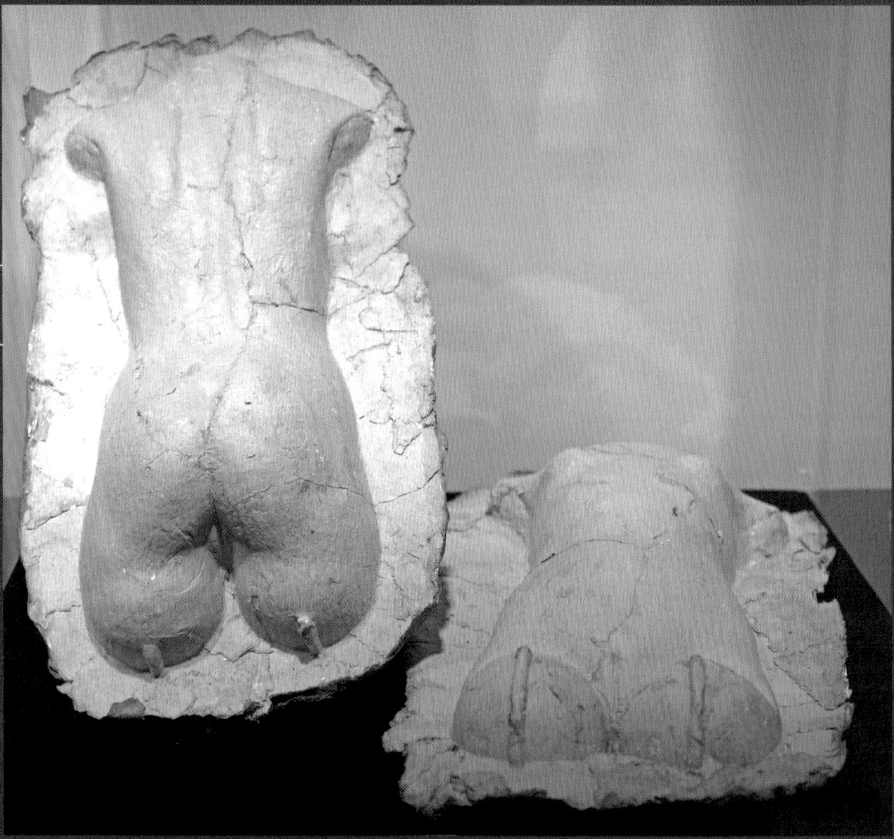

★張り子

★（左頁）《エーテル少女・静かな場所》2022年、
張り子・木製関節・胡粉・油彩仕上げ
／靴制作：修'sくらふと

★（右）関節の試作（左）木型からオーダーした靴

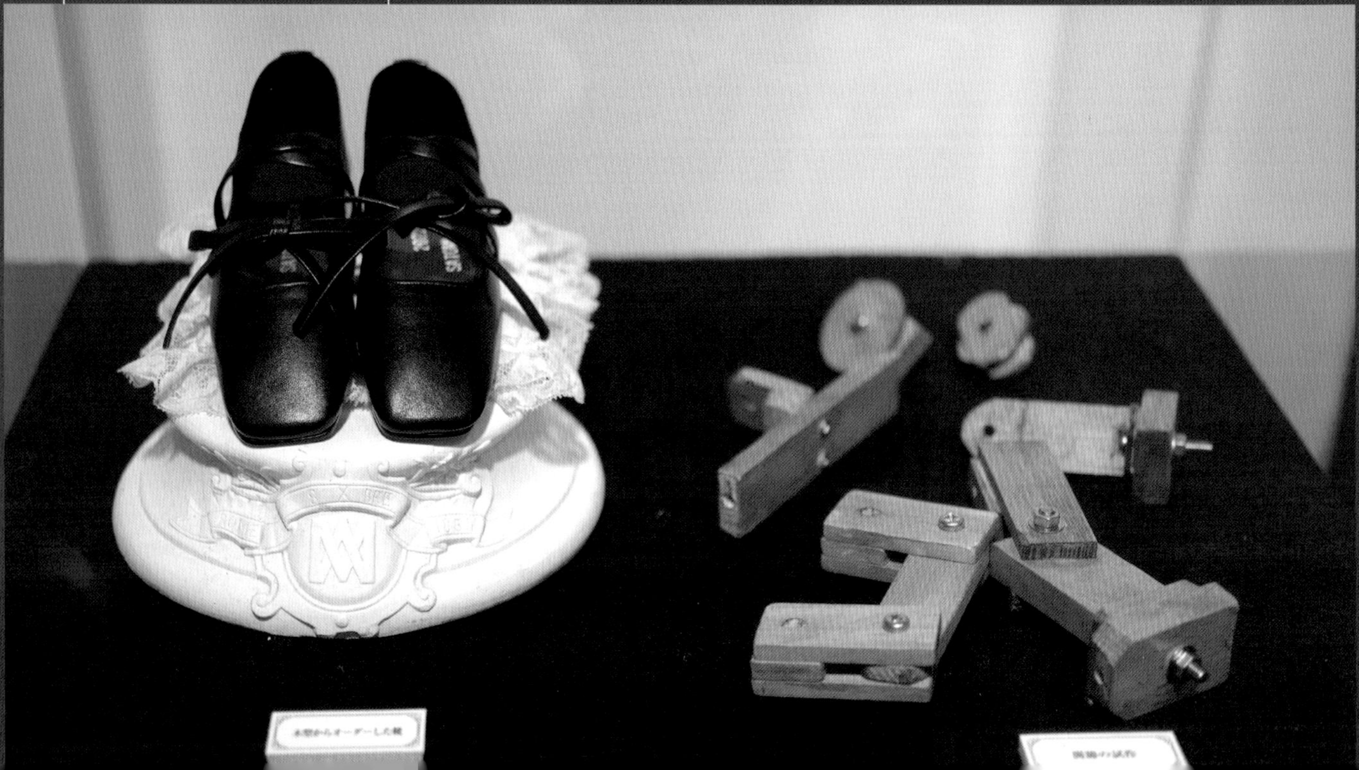

★《Yvonne》魔女見習いコスチューム 2020年、ハードプラスティック／衣装製作：midinette minuit

★《Yvonne》宇宙コスチューム 2020年、ハードプラスティック／衣装製作：midinette minuit

★《Yvonne》制服コスチューム 2020年、ハードプラスティック／衣装製作：midinette minuit

★《NEST》2010年、石塑の上に和紙貼り・胡粉・油彩仕上げ

★《Yvonne》妖精コスチューム 2017年、ハードプラスティック／衣装製作：midinette minuit

★〔右〕《僕の少女はキラキラ星でできている》2012年、石塑の上に和紙貼り・胡粉・油彩仕上げ
〔左〕《Annabel 17才》2011年、石塑の上に和紙貼り・胡粉・油彩仕上げ

★《私の中の小さな嵐》2023年、張り子・胡粉・油彩仕上げ・クロスボディ

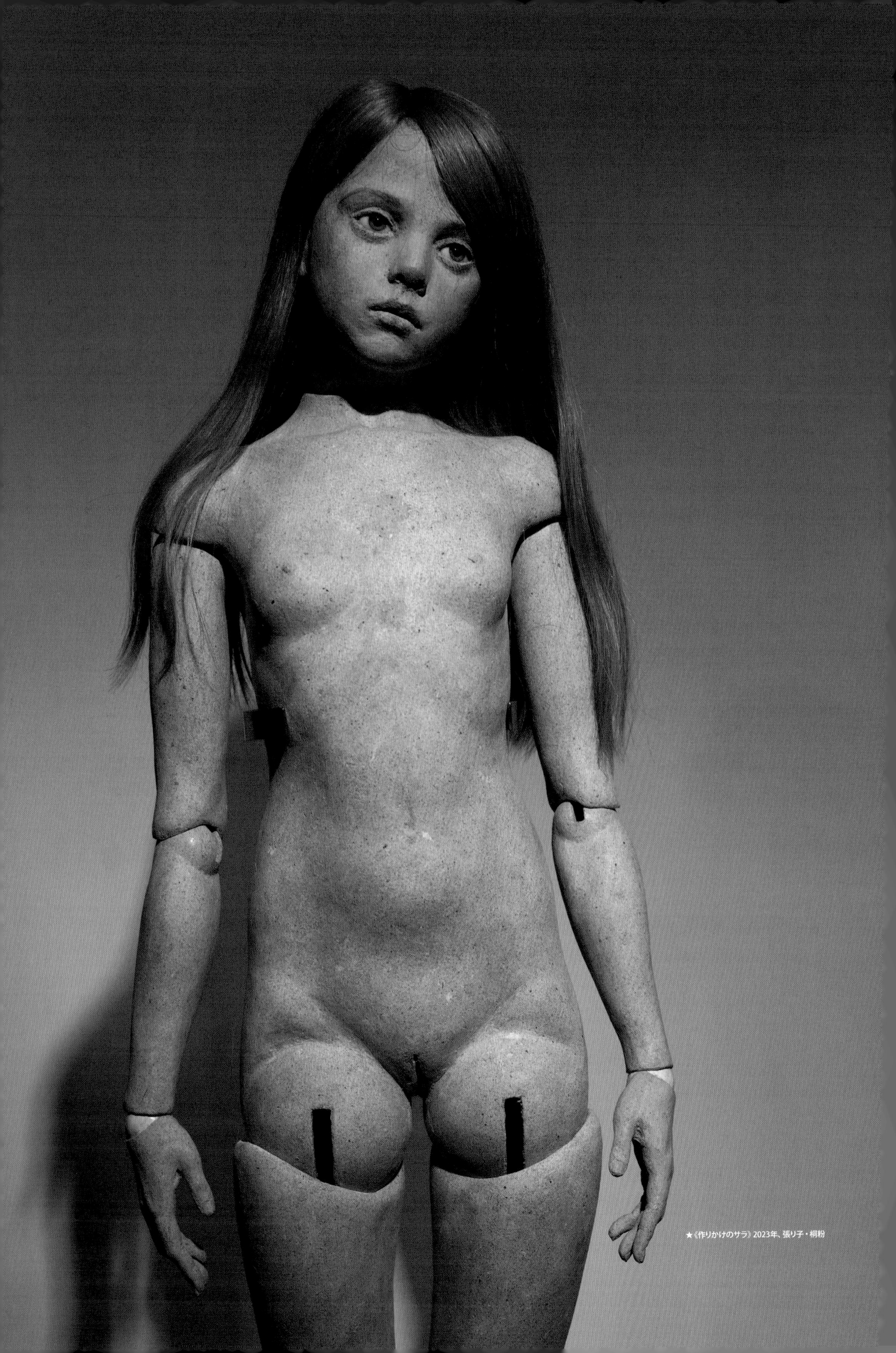

★《作りかけのサラ》2023年、張り子・桐粉

★アンティーク ペピアマッシュドール
／ペピアマッシュ・キッドボディ・コンポジション

「張り子技法」の製作過程を発信、その表現の可能性も模索し続ける

1978年に四谷シモンが開いた人形学校「エコール・ド・シモン」。創作人形の文化の浸透に大きな貢献をしてきた存在だったが、コロナ禍のさなかの2020年、運営の終了が告げられた（その後、四谷シモンの手は離れたが新しい「エコール・ド・シモン」が開校）。

突然の発表にだれもが驚いたが、シモンが独自に作り上げた「張り子技法」を学んできたヒロタサトミもそのひとり。「同じ門下生で張り子技法のお人形を発表している人はおらず、自分が張り子を止めてしまったら、この技法は途絶えちゃうの!?と焦った」という。そして誰かに伝わってほしいと願い、2021年、張り子での人形制作の過程をTwitter（現X）で発信し始めた。事細かな解説に写真を添えて連日ツイート。期間は1年以上に及んだ。

そのツイートを展示として展開してみせたのが、横浜人形の家で開かれた展覧会「ヒロタサトミ記録と記憶　創作人形ができるまで」だ。ツイートを拡大プリントした長い垂れ幕が、天井から下げられるだけでなくそのまま床まで這う。そのツイートで会場が埋め尽くされ、その膨大さに熱意の強さをあらためて実感させられた。

張り子は民芸品などでも使われる技法だが、四谷シモンの張り子技法は、まったく別物なのだという。「接着材や素材、色々な面で難しい部分が沢山あります」（掲示されたヒロタサトミの言葉＝以下の引用も同じ）。だがこの技法なら途中で修正が可能なので作品の完成度を高めることができ、「大きさの割に軽いので関節に負荷が掛からず壊れにくい上、バランスが取り易いので大きな作品を起立させる事が容易」だという利点がある。それゆえ、美術館などでも展示しやすい。

今回ヒロタが製作の過程を発信したのは、《エーテル少女・静かな場所》。この作品は関節が特徴的で、「今まで『球体ありき』で考えていた製作を根本から考え直そうと思い、本当にゼロから自分で考えて」作ったという。「関節の構造から、素材から、木材のボリューム」など試行錯誤を繰り返す。木の関節を思いついたのは、「張り子でしか出来ない表現を」と考えたため。張り子は強いので、こうした仕組みが可能なのだそうだ。

そして靴も初めて、木型からオーダーし、製作を依頼した。「靴が履けなかったら最悪足を直さなければと思って、お人形を繋げませんでした」。その靴や関節の試作、張り子も展示され、過程のほんの一端だが現物で窺うことができた。

＊＊＊

この作品とともに会場で目を引いたのが、《作りかけのサラ》と、ヒロタが買い求めたアンティークのペピアマッシュドールだ。《作りかけのサラ》は張り子人形《サラ》の型。この型からいくつもの工程を経て完成品になるのだが、その工程ごとに少しずつ顔立ちも変わっていくという。「工程を経る過程で、自分の気持も又変化していき、この表情はすっかり失われてしまう事になります。それもまたロマンティックかな…などと思うのです」。《サラ》は本誌file.25「FEATURE：ヒトガタは語る」に掲載されているので、ぜひ見較べてみたい。

ペピアマッシュドールは、《サラ》のあとに製作した張り子人形《Fou Fouとお人形》のヒントになったもの。「完璧な美意識で

※「ヒロタサトミ 記録と記憶 創作人形ができるまで」は、2023年9月16日～11月19日に、横浜人形の家にて開催された。

纏められた」故KENZOの部屋に衝撃を受け、その部屋にふさわしい人形とはなにか考えていたとき、惹かれたのがフランスの人形博物館の写真集にあったペピアマッシュ（混凝紙）の人形で、それを販売していた店を思い出してお迎えしたのだという。《サラ》という大きな人形を作り上げ（しかも《サラ》には3ヴァージョンある）、「このまま球体関節人形を作ってもアレンジに過ぎないという葛藤」の中で、たどり着いた人形。ヒロタの探求心が窺えるエピソードだ。

＊　＊　＊

展覧会では他にも、多様な素材・手法で作られた人形を展示。《Yvonne》はハードプラスティックによるファッションドールで、量産品のようにも見えるが手作業で仕上げられている。《僕の少女はキラキラ星でできている》のお腹には、「キラキラ星」のオルゴール。《私の中の小さな嵐》は、「張り子に一番ぴったりな仕上げや雰囲気を模索する中、上塗り胡粉の代わりに油彩専用の下地を使い、油彩の塗り方も変え」たものだという。

新生エコール・ド・シモンが開校し、幸いにも張り子が学べる機会が失われることはなかった。しかしヒロタサトミは張り子のみならず、さまざまな人形の表現の可能性をさらに探求し続けている。造形の美だけではないその奥深さを垣間見ることのできる稀有で貴重な展覧会だった。

（沙月樹京）

FILE.40-09

◉写真=田中 流／文=沙月樹京

TOPICS

ALICE×DOLL

—不思議の国のアリスと人形—

★恋月姫

★井桁裕子

★秋山まほこ

それぞれの世界で遊ぶ『アリス』という記号

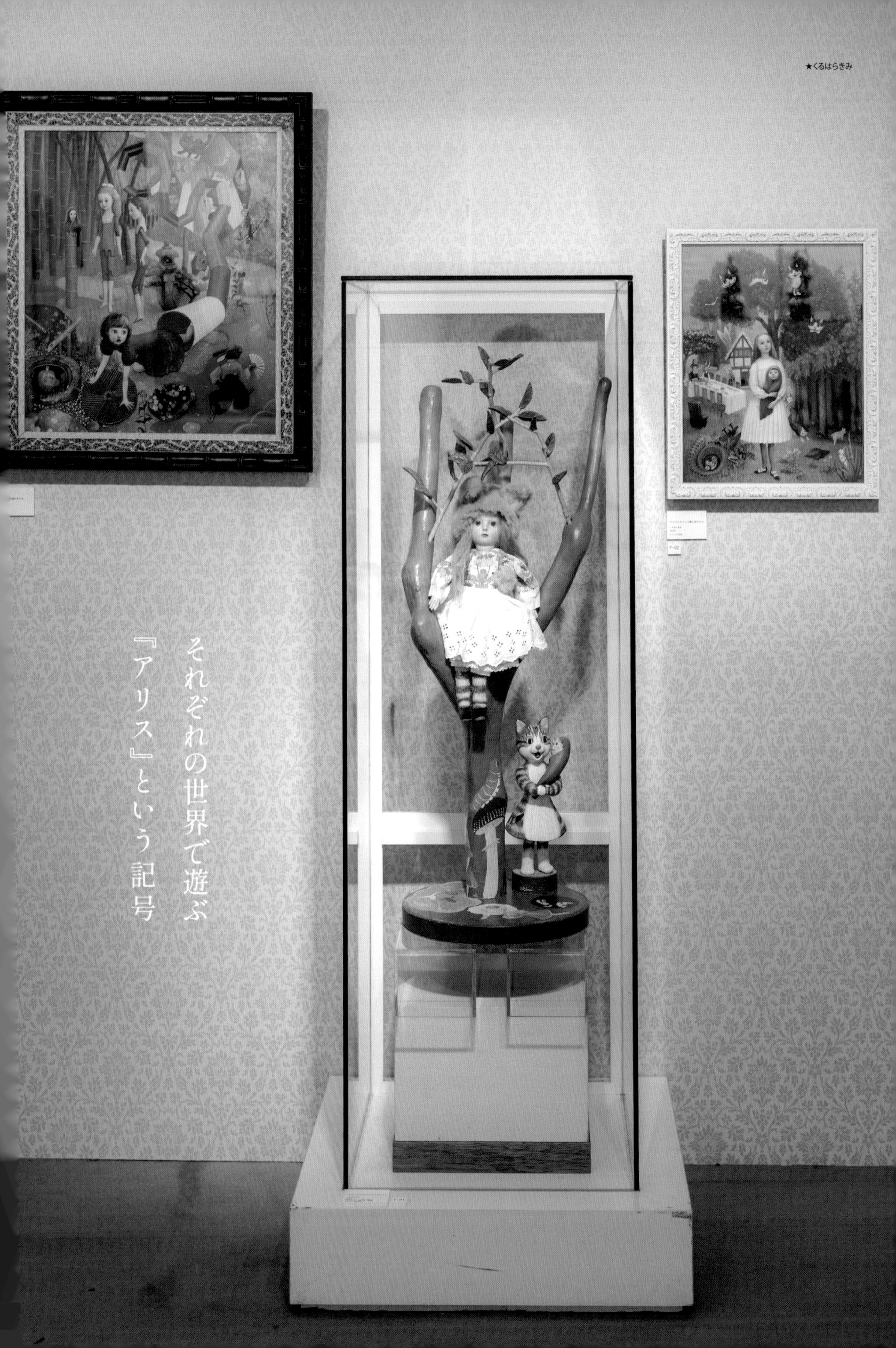

★くるはらきみ

★山吉由利子

★清水真理

★Hitoco×北岸由美

★北岸由美

★KLOKA

★林由未

★ウエノミホコ

★中澤忠幸

★前田ビバリー

★増田セバスチャン

★片岡メリヤス（上の写真も）

★MOYAN

★陽月

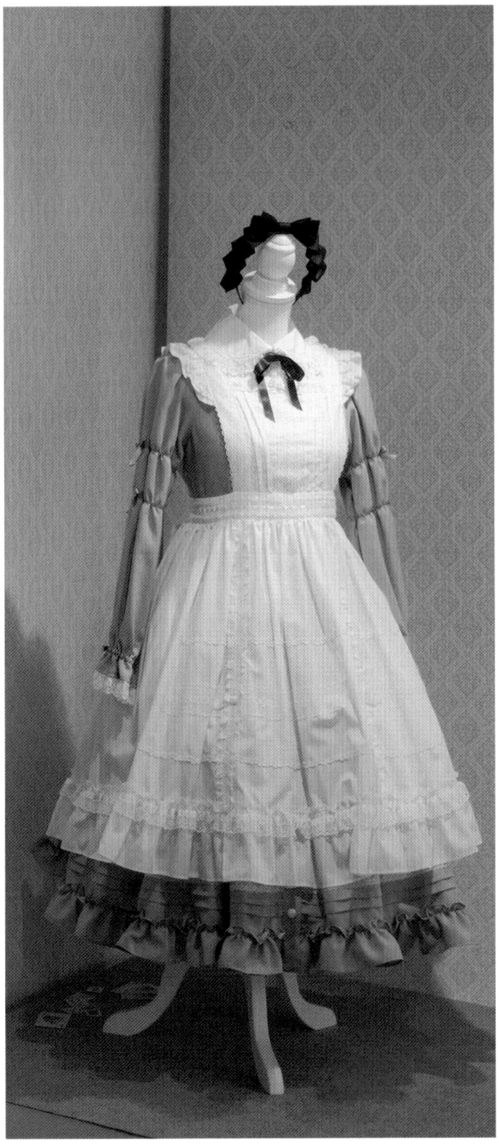

★大人になったアリスドレス（イノセントワールド）

★ハートの女王のドレス（トリプル・フォーチュン）

アリスのヴィジュアルイメージから想像力を羽ばたかせる

ルイス・キャロルの『不思議の国のアリス』が初めて翻訳されたのは明治時代末頃。１９０８（明治41）年に部分訳が「少女の友」に掲載され、全訳は１９１０（明治43）年の『愛ちゃんの夢物語』が最初だとされる。そしてそれ以降、芥川龍之介や三島由紀夫などの文豪も含め、さまざまな訳者によって翻訳され、多くの人に読まれ続けている。

だがその魅力は、物語的な面白さだけではなかろう。多彩で特徴的なキャラクターや印象深いシーンの数々が、『アリス』をより親しみやすいものにしているのは間違いない。そのヴィジュアルイメージの形成に大きな影響を与えたのがジョン・テニエルによる挿絵であり、そして１９５１年に公開されたディズニーによるアニメだ。それらによって『アリス』らしさが定着した。

横浜人形の家で開かれた「ALICE×DOLL—不思議の国のアリスと人形—」展は、そうした歴史を概観したうえで、現代作家がそれぞれの解釈で創出したアリスの世界を楽しめる展覧会となっていた。入口付近には書籍など資料やファッションドールのプーリップ、アパレルブランドのトリプル・フォーチュンやイノセントワールドのドレスなどが並び、そこを抜けると現代作家の展示スペースが広がる。

人形は、横浜人形の家らしく、ビスク、石塑、紙、布と、幅広い素材による作品の競演となった。それらが、表現が違えど『アリス』の世界だと認識できてしまうのは、『アリス』的な記号をうまく取り入れているからであろう。たとえば、ディズニーアニメによって広く流布した、青いドレスに白いエプロン、金髪のロングヘアというアリスの姿。そしてその色合いの源になったとも言われるのが、テニエルの絵にハリー・ジョージ・シーカーが施した彩色だが、そこでは靴下が縞模様に塗られており、それゆえ縞模様の靴下も、アリスを彷彿とさせるアイテムとなった。こうした記号が、展示作品のそこかしこに散りばめられている。

そうした意味でこの展覧会は、『アリス』のイメージが現代日本においてどのように浸透し消化され、そして変奏されているか、さまざまに見ることのできるものとなっていた。作家がそれぞれの持ち味を発揮し、それぞれの世界の中で『アリス』のイメージを遊ばせる。しかしどの作家の世界に入っても、『アリス』は『アリス』であり続ける。『アリス』世界の魅力とそのイメージの強度を再認識させてくれる展示だった。

（沙月樹京）

※「ALICE×DOLL—不思議の国のアリスと人形—」は、2023年10月28日〜2024年1月28日に、横浜人形の家にて開催された。

美しさの背後に漂う陰の気配

◉写真＝吉成 行夫／文＝沙月樹 京

★衣（hatori）《嫦娥》2023年、座像H約23×D約51cm、石塑粘土・正絹・油彩・アクリル・その他

★森馨《薔薇沙姫》2022年、80cm、球体関節人形／石塑粘土

MORI KAORU 森馨 × 衣 HATORI

★衣（hatori）《珠ひな》2023年、立像H約29×W約12cm、
石塑粘土・正絹・油彩・アクリル・その他

★衣（hatori）《豆ひな》2023年、座像H約25×W約15cm、
石塑粘土・正絹・油彩・アクリル・その他

★衣（hatori）《迦陵頻伽》2023年、座像H約24×D約35cm、石塑粘土・正絹・合織・油彩・アクリル・その他

★森馨《アナベル・リィ》2023年、70cm、球体関節人形／石塑粘土

★森馨《Mademoiselle Cochet-Cochet》2023年、50cm、球体関節人形／オールビスク

★森馨《ベビくま》2010年、40cm、teddy bear ／アクリルファー

★森馨《sleeping beauty》2020年、60cm、球体関節人形／モデリングキャスト

★森馨《ブラックダリア》2023年、65cm、球体関節人形／石塑粘土

★展示風景

◉衣（hatori）・森馨 出展予定
▷逢いとおした お人形展
第十二回『虹色の手紙』
2024年3月30日（土）～4月7日（日）火・水・木休
11：00～17：00（最終日は～16：00）
場所／京都 美晴花ギャラリア・ドス
https://www.biseika.com/

★衣（hatori）《玄兎》2023年、座像H約41×W約21cm、石塑粘土・正絹・油彩・アクリル・その他

闇に包まれ冥界へといざなういたわしき人形たち

衣《はとり》と森馨が開いた2人展のタイトルは「めぐしうつくし」という。「めぐし」は「愛し」または「愍し」と書き、「いとおしい」とともに「かわいそう」「いたわしい」という意味もある。確かに衣の人形も森馨の人形も、美しいだけでなく、どこかいたわしく感じさせる陰がある。簡単には推し量ることの出来ない何かを背後に背負っているように感じてしまう。

森馨の第2作品集のタイトルは『Ghost marriage～冥婚～』だった。あの世であっても人形と添い遂げたい――そうした発想が成立するのは、人形が冥界と通じているというイメージがあるからだろう。森はどちらかというと素朴な純真さにいたわしさをまとわせ、衣の人形は、まさに冥界から訪れた誘惑者としての妖艶さを醸す（たとえば迦陵頻伽とは、極楽浄土に住み美声の鳥だ）。そのようにして森や衣の人形は、陰／冥界へと観る者を妖しくいざなうのである。

その「陰」を演出するためだろうか、白い壁に囲まれた画廊のスペースが、菊地拓史の演出によって黒い闇の空間に設えられていた。闇に包まれた人形たちが、スポットライトの中に浮かび上がる。その空間を奥に進む感覚は、まさに冥界への道を歩むものと近しい。観る者はその人形たちのうち、だれと添い遂げたいと思ったろう。

（沙月樹京）

※衣（hatori）・森馨 人形２人展「めぐしうつくし」は、2023年11月11日～21日に、東京・京橋のスパンアートギャラリーにて開催された。

HANA 花

人形に投影された遊女それぞれの物語

●写真＝田中流　文＝沙月樹京

★《逢い引き》2021年、78cm、石塑粘土

★《女狐》2020年、78cm、石塑粘土

★《恋文》2020年、78cm、石塑粘土

★《誘惑》2017年、43cm、石塑粘土

★《幼女郎》2019年、16cm、石塑粘土

★《朝の見おくり》2022年、
53cm、石塑粘土

この見開きは、花による写真作品

★《金魚》2019年、55cm、石塑粘土

★《花魁衆》2021年、80cm、石塑粘土

制作した人形は遊郭跡などで撮影。その人生を息づかせる。

「10代から40代の現在まで、低賃金職と風俗業を行ったり来たり」。地方において、そのような人生を歩んできた「花」が、30代から独学で始めた人形制作。しかもそれは、自分を投影したかのような遊女人形であり、販売することを目的にせず、生き甲斐として作り続けている。それらの人形は、艶やかに着飾って色香を漂わせ、だけどどこか寂しげな様子も窺えたりする。それぞれが持つ人生、物語が感じられ、そこには花自身の人生も重ね合わされているのだという。人形であるのは、存在しているという確かな実体感が得られるからだろうか。

さらに花は、それらの人形を遊郭跡や昔ながらのラブホテルなどに連れ出して、写真に収めることもしている。いやもしかしたら、その写真こそが、最終的な目的なのかもしれない。その人生を、存在の命を、より鮮明に息づかせたいと思い、写真に収めているのではないか。やがて消え去ってしまうであろう建物を背景に、人形が身をしならせてポーズをとる。その光景は郷愁を誘うものであると同時に、生き生きとしたリアルさを感じさせはしないだろうか。花は、諦めも含めてすべてを受けいれた上で生きていた遊女への思いを、人形と写真に込めている。

展示は、さほど広くはない会場のギャラリーカフェ&バーに人形が所狭しと並び、それとともに写真や物語が添えられ、密度の濃いものになっていた。華やかな人形の衣装も巧みで、それが人形をより生き生きと見せていたと言えよう。花はこれが初個展。そのこだわりのある世界観が今後どのように広がっていくか、楽しみにしたい。（沙月樹京）

※花 個展「遊びめ人形」は、2023年10月3日〜22日に、東京・東高円寺のGallery Cafe&Barオンディーヌにて開催された。

★《一夜妻》2023年、93cm、石塑粘土

mica

MICA

◉写真=田中 流／文=沙月樹京

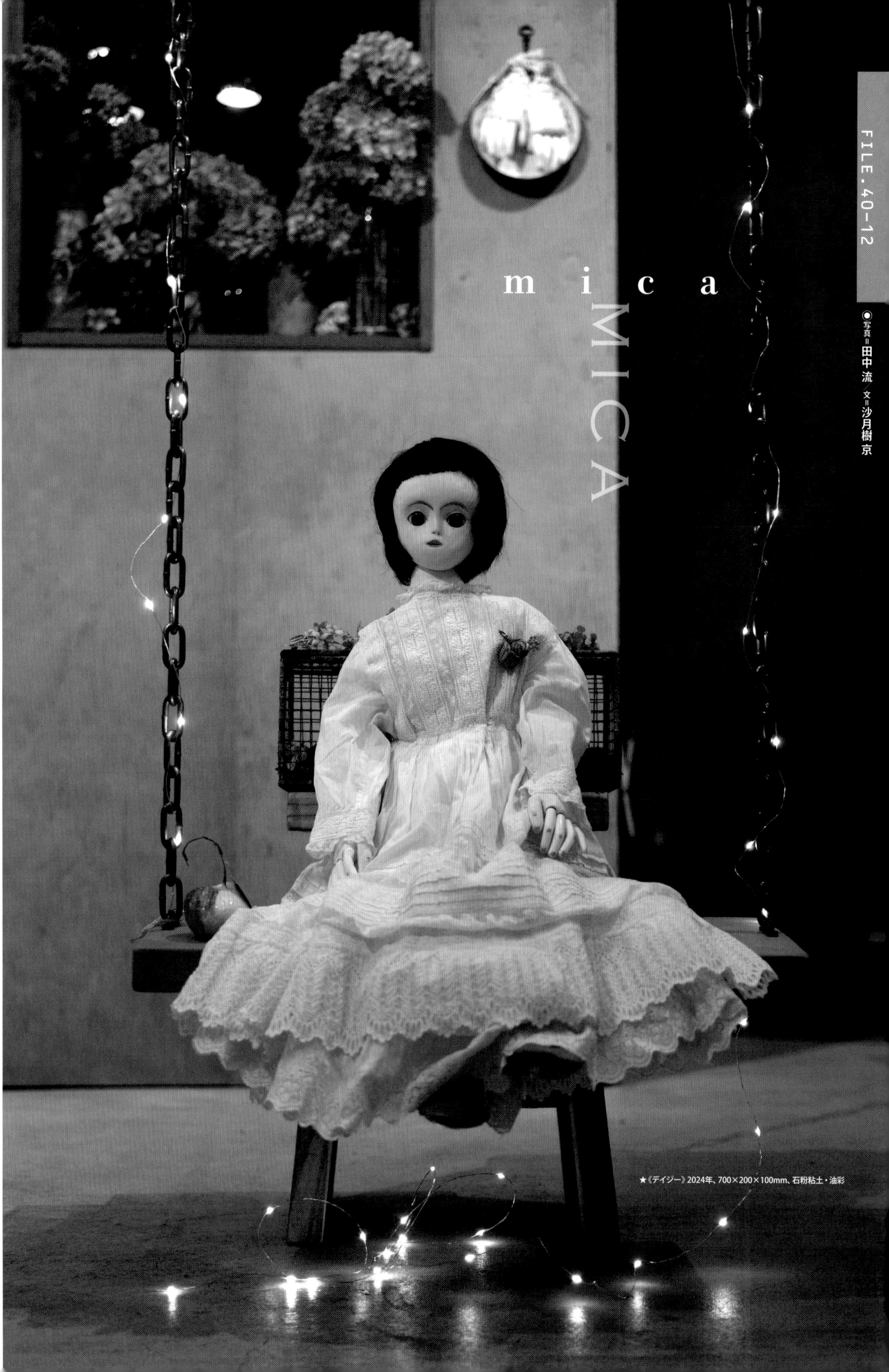

★《デイジー》2024年、700×200×100mm、石粉粘土・油彩

★①《ぐるぐる（小①）》2023年、80×70×50mm、石塑粘土・油彩
②《ぐるぐる（大）》2023年、170×80×50mm、石塑粘土・油彩・墨
③《夢のかたまり》2023年、430×100×80mm、石粉粘土・油彩・墨
④《白い街》2024年、500×170×100mm、石塑粘土・油彩
⑤《maru》2023年、400×130×80mm、石粉粘土・油彩
⑥《わびさび》2024年、400×130×70mm、
石粉粘土・油彩・スタンド・古材台・レモン付
⑦《野へ》2023年、180×50×100mm、石塑粘土・油彩
⑧《海は偉大》2024年、260×100×100mm、
石塑粘土・描き目・パステル

作りながら、いろいろ
空想するのが好き

★①《秋の落しもの》2024年、150×50×80mm、石塑粘土・油彩・どんぐり
②《想像》2024年、580×170×90mm、石塑粘土・油彩

★①《かなしみが伝わってくる》2023年、400×100×70mm、石塑粘土・油彩（猫付属）
②《痛み‥》2024年、380×100×80mm、石塑粘土・油彩・猫付
③《ボンボニエール》2024年、150×80×50mm、石塑粘土・パステル・鈴・器付
④《おつきさん》2024年、140×50×50mm、石塑粘土・パステル

★①《てるてる》2023年、100×70×70mm、石塑粘土・油彩・アンティークグラスアイ・鈴
②《やさしい鳥（ブローチ）》2024年、50×50×30mm、石塑粘土・油彩・貝・ブローチ

★①《手紙》2024年、400×110×80mm、石粉粘土・油彩
②《まほう》2024年、450×150×70mm、石塑粘土・油彩
③《痛み・・》2024年、380×100×80mm、石塑粘土・油彩・猫付
④《eag②》2024年、100×50×50mm、石塑粘土・油彩

★①《よつ葉》2024年、350×140×50mm、石粉粘土・油彩
②《生きる喜び》2024年、350×140×50mm、石塑粘土・油彩
③《静かな声》2023年、180×100×70mm、石塑粘土・油彩・鈴・器付
④《march》2022年、250×100×100mm、石塑粘土・油彩

★《黒兎》2024年、500×150×70mm、石塑粘土・油彩

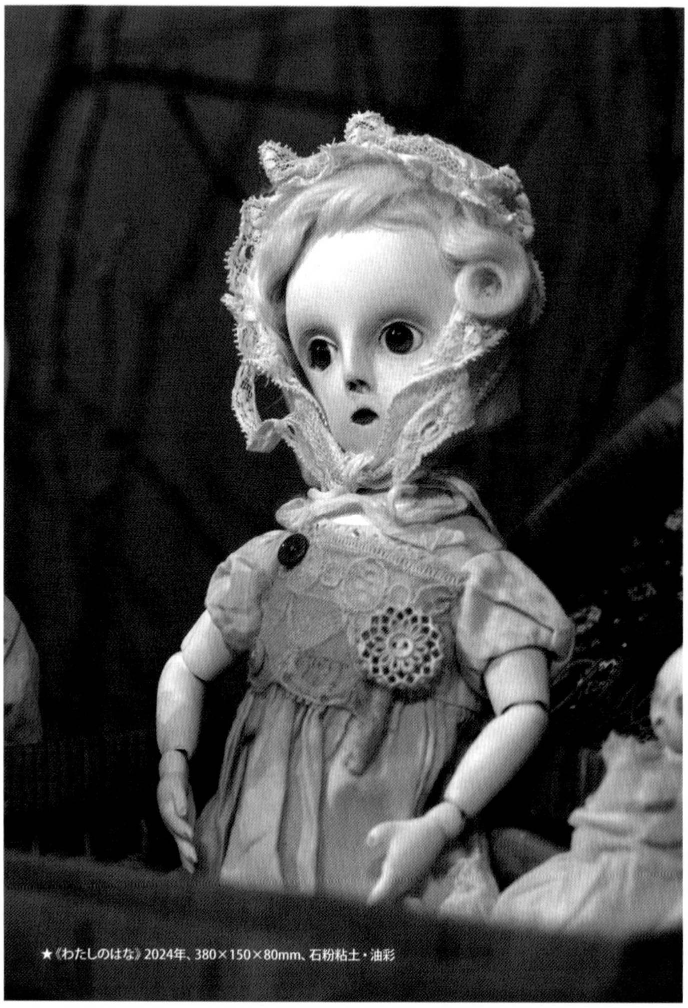

★《わたしのはな》2024年、380×150×80mm、石粉粘土・油彩

★《うつろう》2024年、180×100×100mm、石塑粘土・油彩・リボン

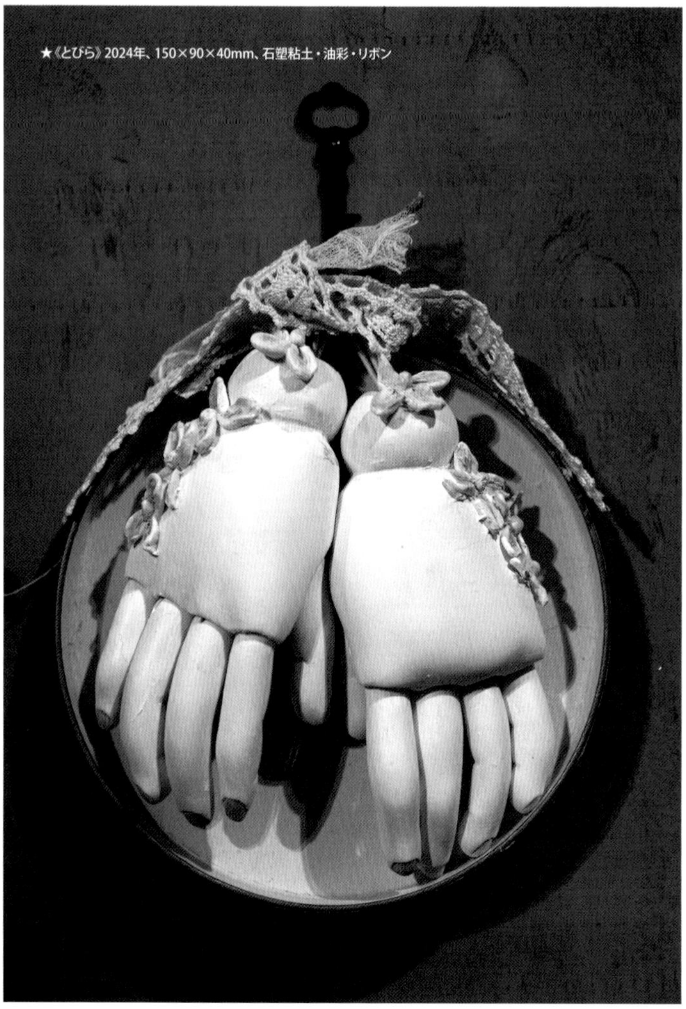

★《とびら》2024年、150×90×40mm、石塑粘土・油彩・リボン

★①《手紙》2024年、400×110×80mm、石粉粘土・油彩
②《恥ずかしがり屋の栗》2024年、100×50×30mm、石塑粘土・油彩・おもちゃアイ
③《ほんとうのもち》2023年、130×30×30mm、石塑粘土・油彩

★①《rona》2023年、350×100×80mm、石粉粘土・油彩
②《milk》2024年、150×50×30mm、石塑粘土・パステル・油彩

★《手》2021年、160×70×40mm、石塑粘土・油彩

★《bard》2024年、170×80×100mm、石塑粘土・油彩・籠付

★①《愛する言葉》2024年、120×50×30mm、石塑粘土・油彩・アンティーク本付属
②小箱（兎⑦ ブローチ）》2024年、50×50×50mm、石塑粘土・油彩
③小箱（兎⑥ ブローチ）》2024年、50×50×50mm、石塑粘土・油彩
④《紫陽花》2023年、550×150×70mm、石塑粘土・油彩
⑤（左から）《つきのみせ オーナー》《つきのみせ スタッフ①》《つきのみせ スタッフ②》 2023年、縦90-110mm、石塑粘土・油彩
⑥《うさもち》2024年、80×40×30mm、石塑粘土・パステル
⑦《きのこのたからもの》2024年、100×50×50mm、石塑粘土・瓶
⑧《ふしぎ》2023年、縦40mm、石粉粘土・油彩
⑨《紫陽花目》2023年、縦120mm、石粉粘土・パステル
⑩《小箱（鳥② ブローチ）》2024年、50×50×50mm、石塑粘土・油彩
⑪《小箱（鳥① ブローチ）》2024年、50×50×50mm、石塑粘土・油彩

小さきものへのあたたかな視線が感じられる個性的な人形たち

大きなもので70センチ。小さなものは10センチに満たないものまで、大小さまざまな人形がずらり並んでいる。人の形をしたものもあれば、動物の形をしたものもあるし、一つ目など不思議な異形もある。その数、ブローチなど小品も含め60以上。それぞれが思い思いのポーズで視線を投げかけ、非常に賑やかな雰囲気の展示である。

micaは、「こどものころから、お話のなかに紛れるのが好きだった」という。「自分もお話に入り込んで、その主人公といっしょにごはんを食べたり、そういう空間にいる空想をしました」。それは、頭の中で演じられる空想の劇。この展示空間も、まさにそうした劇があちこちで演じられているかのような賑やかさだ。

人形はどれも純朴な風情で、それぞれがとっても個性的。しかも、だれもが羨むような理想美を持ち合わせてはいないかもしれないが、そこには、どのような個性も愛おしいと思う優しさ、小さきものへのあたたかな視線が感じられる。たとえば個展会場のgallery hydrangeaをイメージしたという《紫陽花》は、「さみしい人が来ればそっと音楽を奏でます。明るい人が来ればにこにこ返します。不安な人には優しい舟をだします」。おそらくそうした優しさを届けたいと願い、micaは人形を制作する。

また、個性がさまざまなのは、多様な思いや物語が人形に投影されているからだろう。「わたしは作りながら、いろいろ想像するのがとても好きです」。宮沢賢治に憧れを持っているといい、micaもそのように、遠い宇宙の果てまで想像力を広げているにちがいない。

「わたしはけっしてじょうずではないし、だからじぶんの言葉でじぶんを鼓舞し、そして未来を描いてきた…。もしわたしの言葉が誰かの心の灯になり、あたたかいひかりになったのならほんとうに…うれしいです」。その灯はきっと、少ない人の心に灯っている。

（沙月樹京）

※mica 個展「たゆたう」は、2024年1月18日～22日に、東京・曳舟のgallery hydrangeaにて開催された。

◎TH Art series

◎画集

古川沙織 画集「Mistress Alice」
978-4-88375-519-6／A5判・64頁・ハードカバー・税別2700円
●闇まとう禁断のエロスが花開く、古川沙織 待望の画集、第3弾！愛、罪、そして死の恐怖と恍惚。呪みちる氏（ホラー漫画家）推薦！

たま 画集「Nighty night～少女主義的水彩画集VIII」
978-4-88375-518-9／B5判・64頁・ハードカバー・税別3000円
●ビザールな夢の国へようこそ！「ダークファンタジーと少女性な世界観の融合で、カワイイの沼に引き込まれました」──青木美沙子

こやまけんいち 絵本館「ガールグース -少女画帳-」
978-4-88375-512-7／A5判ヨコ・112頁・カバー装・税別2700円
●無垢な少女に、ぴりりスパイスきかせた作品に軽妙な詩や文を添えた、大人の絵本館。人気の絡繰りオルゴール作品も収録！

中井結 画集「はじまりとおわりと、そのあいだ」
978-4-88375-507-3／B5判・96頁・カバー装・税別3091円
●アウトサイドを歩む異才が描く、秘密の園。可憐な少女、少年たちが惜しげもなくエロスを花開かせた耽美の劇場！ 待望の初画集！

宮本香那 画集「おままごとのつづき」
978-4-88375-503-5／B5判・96頁・カバー装・税別3091円
●愛らしくて純粋で、だけどちょっぴり病んでいて…少女たちの、甘く歪んだ遊戯はおわらない。宮本香那の代表作をまとめた初画集！

浅野勝美 画集「Psyche（プシュケー）」
978-4-88375-504-2／B5判・64頁・ハードカバー・税別3000円
●妖しいきらめきに満ちた、澄んだ美の結晶──皆川博子、シェイクスピアの装画などで知られる、浅野勝美の耽美かつ幻想的な世界！

中島祥子 画集「生命樹と妖精猫たち」
978-4-88375-508-0／A4判・64頁・並製・税別2000円
●猫たちよ、どうか永遠に幸福に─愛された128の猫が妖精となって生命樹のまわりを舞う大作の全貌をおさめた記念碑的画集!!

九鬼匡規 画集「あやしの繪姿［新装版］」
978-4-88375-493-9／A5判・64頁・カバー装・税別2000円
●こころ狂わす 美しき妖怪、怪異。妖怪や怪異を現代風な女性像になぞらえ、蠱惑的な美人画として描き出した、あやしき妖怪美人画集！

駕籠真太郎 画集「死詩累々［新装版］」
978-4-88375-490-8／A4判・128頁・カバー装・税別3300円
●不謹慎かつ狂気的な漫画で人気を集める奇想漫画家・駕籠真太郎の、漫画以外の多彩なアートワークを凝縮した「超奇想画集」！

真珠子 作品集「真珠子メモリアル～〝娘〟を育んだ20年」
978-4-88375-483-0／B5判・128頁・カバー装・税別3200円
●天衣無縫なガーリーアート！ 渋谷PARCOなどでの個展等、多彩な活動を続けている真珠子の20年の軌跡を凝縮した記念作品集！

椎木かなえ 画集「虚の構築」
978-4-88375-475-5／A5判・64頁・ハードカバー・税別2700円
●無意識を彷徨い、構築する──形容し難い不可思議さ。シュールだけどユーモラス。椎木かなえが闇の中から構築した〝虚〟の世界！

イヂチアキコ 画集「Dignity」
978-4-88375-462-5／A4判・48頁・並製・税別1500円
●日本画の手法により、現代に生きる少女の心性を寓意によって描き出してきたイヂチアキコ。画集『イルシオン』以降の作品を集約！

「楽園の美女たち Paradise Garden～現代美人画集」
978-4-88375-463-2／A4判・80頁・カバー装・税別2200円
●美しさ、艶やかさ、妖しさ…それぞれのスタイルで探究された現代美人画の数々。久下じゅんこ、樋口ひろ子、九鬼匡規など8作家収録！

高田美苗 作品集「箱庭のアリス」
978-4-88375-393-2／B5判・64頁・ハードカバー・税別2700円
●混合技法によるタブローから銅版画まで、少女をモチーフとした夢幻世界を描き続ける高田美苗の軌跡を集約した、待望の作品集！

森環 画集「愛よりも奇妙～Stranger than love」
978-4-88375-264-5／B5判・64頁・ハードカバー・税別2750円
●なんて奇妙な、ワンダーランド！「ボローニャ国際絵本原画展」入選など、不思議な世界観で人気の画家の幻想的な鉛筆画集！

須川まきこ 画集「melting～融解心情」
978-4-88375-137-2／A5判・112頁・ハードカバー・税別2800円
●欠けていることのエレガンスをセンシティブに描く須川まきこ待望の画集！〝まるで わたしは つくりものの 人形〟

◎北見隆作品集

北見隆 装幀画集「書物の幻影」
978-4-88375-398-7／B5判・96頁・ハードカバー・税別3200円
●赤川次郎、恩田陸、中島らも、津原泰水…あのワクワクは、この絵とともにあった！ 40年の装幀画業から、約400点を収録した決定版画集！

北見隆 作品集「本の国のアリス～存在しない書物を求めて」
978-4-88375-223-5／A5判・64頁・ハードカバー・税別2750円
●本そのものが、「アリス」の物語の、愉快な舞台〈ワンダーランド〉に！ 本の形をした"ブックアート"を中心に、不思議な物語に満ちた作品集!!

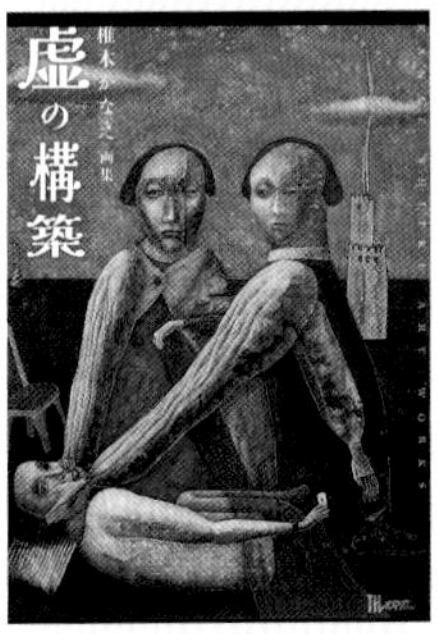

◎人形・オブジェ作品集

田中流 球体関節人形写真集「Dolls II～瞳に映る永遠の記憶」
978-4-88375-480-9／A5判・96頁・カバー装・税別2500円
●「Dolls～瞳の奥の静かな微笑み」に続く人形写真集。可愛いものから個性的なものまで、23人の作家の多彩な人形作品を掲載！

田中流 球体関節人形写真集「Dolls～瞳の奥の静かな微笑み」
978-4-88375-373-4／A5判・96頁・カバー装・税別2300円
●若手からベテランまで、多彩なタイプの球体関節人形を撮影し、その魅力とともに、現代の創作人形の潮流をも写した写真集!!

清水真理 人形作品集「VITA NOVA～革命の天使」
978-4-88375-464-9／B5判・64頁・ハードカバー・税別2700円
●ハルピンの束の間の栄華と、刹那的な享楽。球体関節人形と人形オブジェで、歴史の陰翳の中に生きた者たちを描き出した幻影の劇場！

神宮字光 人形作品集「Cocon」
978-4-88375-378-9／A5判・64頁・ハードカバー・税別2700円
●ビスクなどで作られた愛おしい人形達がさまざまなシチュエーションの中で遊ぶ、かわいくも、ときにシュールでミラクルな世界！

ホシノリコ 作品集「蒼燈のばら」
978-4-88375-326-0／B5判・64頁・ハードカバー・税別2750円
●艶かしく息づく球体関節人形、幻想的な物語奏でるオブジェ。ホシノの10年の歩みをまとめた待望の作品集！ 写真＝吉田良、田中流

与偶 人形作品集「フルケロイド FULLKELOID DOLLS」
978-4-88375-265-2／A5判・68頁・ハードカバー・税別2750円
●園子温推薦！ 多くの人の心に突き刺さっている、凄みのある作品たち。20年の作家生活をここに総括。横4倍になる綴じ込み2枚付！

森馨 人形作品集「Ghost marriage～冥婚～」
978-4-88375-236-2／B5判・64頁・ハードカバー・税別2750円
●妖しい美しさと、哀しいエロスを湛えた、森馨の球体関節人形。その蠱惑的な肢体を写真家・吉成行夫が撮影した、闇の色香ただよう写真集！

木村龍 作品集「光速ノスタルジア」
978-4-88375-245-4／B5判・96頁・ハードカバー・税別3500円
●ボックスアートから彫像的作品、球体関節人形、絵画などまで、妖美で奇矯、かつ純真な世界を濃密に凝縮した、待望の初作品集!!

◎話題書

「伊藤晴雨の世界2 伊藤晴雨 秘蔵画集～門外不出の責め絵とドローイング」
978-4-88375-517-2／B5判・128頁・カバー装・税別3500円
●晴雨が極めた艶美の境地──抒情をもって描き出された、戦慄と恍惚の美に満ちた秘蔵画の数々。貴重なデッサン等も多数収録！

「伊藤晴雨の世界1［秘蔵写真集］責めの美学の研究 風俗資料館資料選集」
978-4-88375-510-3／A5判変型・128頁・カバー装・税別2000円
●明治～昭和の希代の責め絵師・伊藤晴雨がかかわったとおぼしき、生々しくも美しい責め写真の数々を収録した、ファン垂涎の写真集！

「秘匿の残酷絵巻［増補新装版］～臼井静洋・四馬孝・観世一則」
978-4-88375-496-0／A5判変型・160頁・カバー装・税別2200円
●ひとりのために描かれた臼井静洋、四馬孝の残酷絵。卓越した観世一則の責め絵。貴重で特異な作品たち！ カラー・モノクロともに増量した新装版。

芳賀一洋 作品集「錠前屋のルネはレジスタンスの仲間」
978-4-88375-331-4／A5判・224頁・並製・税別2222円
●リアルにつくり上げられた驚きのミニチュア・ワールド！ はが いちよう の 抒情あふれる世界をおさめた、ノスタルジックな作品集。

◎写真集

二階健 ヴィジュアル 小川未明 文「赤い蝋燭と人魚」
978-4-88375-515-8／B5判変型・64頁・ハードカバー・税別3091円
●小川未明の名作童話に、映像の魔術師・二階健が、甘美かつ耽美的なヴィジュアルを添えた、美しくも切ない魅惑の写真絵本！

七菜乃 写真集「LONG VACATION」
978-4-88375-500-4／B5判・144頁・カバー装・税別3800円
●青空のもとに解き放たれた、裸身たちの美景。多様な個性の裸体のフォルムで、夢幻の光景を描き出した、集団ヌード写真集！

村田兼一 写真集「宵待姫 十三夜」
978-4-88375-469-4／B5判・96頁・ハードカバー・税別3200円
●村田兼一の原点、禁断の手彩色写真集！ エロスとタナトスが交錯する13の秘密の夜。自身が見た夢などを添えた濃密な魔術的世界。

珠かな子 写真集「蜜の魔法」
978-4-88375-489-2／B5判・80頁・カバー装・税別2500円
●幸せの魔法が強くなるように──11人のモデルを優しくリスペクトする視線で、エロスとイノセンスをあわせ持つ魅力を写した写真集。

美島菊名 写真作品集「HOPE」
978-4-88375-308-6／B5判・64頁・ハードカバー・税別2750円
●少女よ あなたは 世界を変える──少女の無垢と欲望を、インパクトあるヴィジュアルで表現してきた美島菊名、初の写真作品集！

谷敦志 写真集「Flowers and Nudes」
978-4-88375-284-3／A4判・64頁・ハードカバー・税別3800円
●透き通るような静けさをまとう、ヌードと花。進化し続ける孤高のアーティストの「今」が詰まった、最新写真集！ A4サイズの豪華版！

◎ExtrART（エクストラート）～異端派ヴィジュアルアート誌

file.39◎FEATURE：ヒトガタの夢、心象の旅
A4判・112頁・並装・1318円（税別）・ISBN978-4-88375-514-1
●月、影山多栄子、櫻井結祈子、西村亨、与偶、作田富幸、浅野勝美、狩野れいな、岡本泰彰、ヘルミナン、Velvet Knot Doll Exhibition、他

file.38◎FEATURE：時や文化、生死を超えて
A4判・112頁・並装・1318円（税別）・ISBN978-4-88375-506-6
●大島利佳、傘嶋メグ、門坂流、Sotaro Oka、土谷寛枇、中井結、中島華映、平野真美、吉田有花、瑠雪、にんぎょう うらら展、三代目彫よし×空山基、他

file.37◎FEATURE：幻視者たちが見たリアル
A4判・112頁・並装・1318円（税別）・ISBN978-4-88375-499-1
●サワダモコ、椎木かなえ、真珠子、神野歌音、スミシャ、冨岡想、夏目羽七海、丹羽起史、ひらのにこ、美濃瓢吾、山上真智子、横尾龍彦、他

file.36◎FEATURE：白昼夢の劇場／少女の遊戯
A4判・112頁・並装・1250円（税別）・ISBN978-4-88375-492-2
●朱華、SAKURA、大野泰雄、森本ありや、石松チ明、Zihling、濵口真央、中井結、緋衣汝香優理、喜藤敦子、佐藤文音、山田ミンカ、都築琴乃（遊）ほか

file.35◎FEATURE：幻想の王国へ、ようこそ。
A4判・112頁・並装・1250円（税別）・ISBN978-4-88375-486-1
●エセム万、網代幸介、塚本紗知子、松本ナオキ、ミルヨウコ、雛菜雛子、塚本穴骨、田中流、下山直紀、村上仁美、沖綾乃、ジュリエットの数学、すうひゃん。

file.34◎FEATURE：美のゆらぎ、闇の鼓動
A4判・112頁・並装・1250円（税別）・ISBN978-4-88375-479-3
●三谷拓也、高久梓、安藤朱里、日野まき、藤浪理恵子、西村藍、六原龍、戸田和子、SRBGENk、shichigoro-shingo、雪駄、異形のヴンダーカンマー展

file.33◎FEATURE：聞こえぬ声を聞く
A4判・112頁・並装・1250円（税別）・ISBN978-4-88375-471-7
●土谷寛枇、小野隆生、Sui Yumeshima、鶴見厚子大西茅布、芳賀一洋、駒形克哉、清水真理、松平一民、TARO賞展、i.m.a.展

file.32◎FEATURE：たましいの棲むところ
A4判・112頁・並装・1200円（税別）・ISBN978-4-88375-466-3
●衣[hatori]、安藤榮作、村上仁美、西條冴子、FREAKS CIRCUS、岡本瑛里、宮崎まゆ子、前田彩華、アンタカンタ、たま、mumei、真木環

file.31◎FEATURE：動物と花のワンダー！
A4判・112頁・並装・1200円（税別）・ISBN978-4-88375-459-5
●石塚隆則、吉田泰一郎、森勉、水野里奈、萩原和奈可、永見由子、珠かな子、椎木かなえ、金澤弘太、雫石知之、Sitry、呪みちる×古川沙織

file.30◎FEATURE：揺らぐ心象の迷宮
A4判・112頁・並装・1200円（税別）・ISBN978-4-88375-452-6
●宮本香那、ÔБ、川上勉、高松潤一郎、田中流、大山菜々子、塩野ひとみ、かつまたひでゆき、Ma marumaru、シン・ニッポン風土記 ほか

---

file.28◎FEATURE：少女への夢想曲
A4判・112頁・並装・1200円（税別）・ISBN978-4-88375-436-6
●イチヂアキコ、くるはらきみ、九鬼匡規、鈴木那奈、傘嶋メグ、蕾／pick up＝吉岡里奈、中尾変、吉田和夏、清水真理、田中流、林美登利

file.25◎FEATURE：ヒトガタは語る
A4判・112頁・並装・1200円（税別）・ISBN978-4-88375-408-3
●三浦悦子、Mekkedori、ヒロタサトミ、垂狐、田野敦司、日隈愛香、横倉裕司、羅入、成田朱希、サワダモコ、山本有彩、塙興子ほか

file.12◎FEATURE：愛しき、ヒトガタ
A4判・112頁・並装・1200円（税別）・ISBN978-4-88375-257-7
●中嶋清八、木村龍、宮崎郁子、清水真理、野口由里子、神宮字光、ジュール・パスキン、古川沙織、江村玲、池田俊彦、相壁琢人 ほか

◎トーキングヘッズ叢書（TH Seires）

No.97 LOST PARADISE～失われた楽園
A5判・192頁・並装・1500円（税別）・ISBN978-4-88375-516-5
●楽園を思うことによって生み出された表現、物語。色街写真家・紅子インタビュー、大小島真木、巻頭図版［二階健、たま、伊藤晴雨、七菜乃、悠歌他］、あらかじめ失われた恋人たちよ、瓶詰の地獄、パノラマ島奇談、海のトリトン、銀河鉄道の夜、人民寺院、失楽園としてのガザなど。特集以外にもレビューなど盛りだくさん！

No.96 GOTHIC-R ゴシック再興～闇に染まれ
A5判・208頁・並装・1500円（税別）・ISBN978-4-88375-509-7
●「ゴシック」を知ることは、不安や恐怖を手なづけることだ。ゴシックの源流から、ゴシックの精神を受け継いだ現代の作品まで――ゴシック精神とは何か／ドール／ゴシックと廃墟美／身体改造国際会議／クィアでフリークな南部ゴシック／ミツバチのささやき などなど。特集以外にもレビューなど盛りだくさん！

No.95 SWEET POISON～甘美な毒
A5判・208頁・並装・1444円（税別）・ISBN978-4-88375-502-8
●毒を知ることは、人間中心の価値観から脱皮すること。その甘美な魅惑とは？ 松永天馬（アーバンギャルド）インタビュー、ろくでなし子×森下泰輔展、童話の中の少女はなぜ毒を受け取ってしまうのか、子どもにひそむ悪と毒、十九世紀英文学とアヘン、毒薬とミステリー、美貌の毒殺魔・ブランヴィリエ侯爵夫人ほか

No.94 ネイキッド～身も心も、むきだし。
A5判・208頁・並装・1444円（税別）・ISBN978-4-88375-494-6
●心の枷を解き放とう――そう訴えかけてくるものたち。七菜乃、真珠子、村田兼一、ストロベリーソングオーケストラ、加藤かほる、ゲルハルト・リヒターの肖像、羞恥心考、『まぼろしの市街戦』、エゴン・シーレの歪なエロス、公衆浴場、異物としての裸体、翼と裸体、ありのままの「脱ぎ恥」論、結城唯善インタビューほか

No.93 美と恋の位相／偏愛のカタチ
A5判・224頁・並装・1444円（税別）・ISBN978-4-88375-488-5
●「美」に幻惑され、偏愛的、狂的、病的な愛に憑かれた者たちの物語――美しき吸血鬼像、クレオパトラ、ベニスに死す、桜の森の満開の下、乱歩式人形愛の美学、ヴェルレーヌと美少年ランボー、少女人形フランシーヌが見せた夢、コスプレで上流階級を魅了した美女エマ・ハミルトン、八田拳（みこいす）インタビュー他

No.92 アヴァンギャルド狂詩曲～そこに未来は見えたか？
A5判・224頁・並装・1444円（税別）・ISBN978-4-88375-481-6
●新たな価値観を創出することを志したアヴァンギャルド的表現を見直し、新たな多様な表現を眺望してみよう！ マン・レイ、合田佐和子、田部光子、ヴェネチア・ビエンナーレ、舞踏はいまも前衛か、きゅんくんインタビュー、アヴァンギャルド映画、未来派とバウハウス、寺山修司による『市街劇ノック』、月刊漫画ガロの足跡他

No.91 夜、来たるもの～マジカルな時間のはじまり
A5判・224頁・並装・1444円（税別）・ISBN978-4-88375-473-1
●「魔」的なものが支配する時間、それが夜だ！ 神は闇を渡る、『稲生物怪録』、児童文学と少年少女の夜、裸のラリーズという《夜の夢》、ドイツ表現主義映画、『ナイトホークス』、稲垣足穂、埴谷雄高、『百億の昼と千億の夜』、妖精たちの長くて短い夜、『夜のガスパール』、金縛り・過眠症・夢遊病、高千穂の夜神楽他

No.90 ファム・ファタル／オム・ファタル～狂おしく甘美な破滅
A5判・224頁・並装・1389円（税別）・ISBN978-4-88375-467-0
●危険な魔性の女、魔性の男たち――エヴァ、イザナミからラムまで、かぐや姫の正体、女奇術師・松旭斎天勝、カサノヴァの艶なる恋、高級娼婦コーラ・パール、クラーナハ、ジャンヌ・モロー、松本俊夫『薔薇の葬列』、キューブリック、横溝正史の美少年像、オペラ『カルメン』、妲己のお百、トレヴァー・ブラウン、アーバンギャルド他

アトリエサードの出版物の購入のしかた・通信販売のご案内

●アトリエサードの出版物が書店店頭にない場合は、書店へご注文下さい（発売＝書苑新社と指定して下さい。全国の書店からOK）。
●Amazonなどネット書店もご活用下さい。

●出版物の詳細はサイト http://www.a-third.com/ へ！ ネット通販でもご購入できます。
■各書籍の詳細画面でショッピングカートがご利用になれます。■郵便振替 / 代金引換 / PayPal で決済可能。

■インターネットをご利用になれない方は、郵便局より郵便振替にて直接ご送金いただいても結構です（ここに掲載している値段は税別なので、必ず消費税を加算して下さい。送料は不要。また連絡欄に希望書名・冊数を明記のこと）。入金の通知が届き次第、発送します（お手元に届くまで、だいたい5～10日ほどお待ち下さい）。振込口座／00160－8－728019　加入者名／有限会社アトリエサード
■また TEL.03-6304-1638 にお電話いただければ、代金引換での発送も可能です（取扱手数料350円が別途かかります）

出版物一覧
アトリエサードHP
AMAZON（書苑新社発売の本）